» LA GAJA SCIENZA «

VOLUME 1037

FAI BEI SOGNI

Romanzo di
MASSIMO GRAMELLINI

L LONGANESI

ISBN 978-88-304-2915-4

I edizione marzo 2012
II edizione marzo 2012
III edizione marzo 2012
IV edizione marzo 2012
V edizione marzo 2012
VI edizione marzo 2012

Per essere informato sulle novità
del Gruppo editoriale Mauri Spagnol visita:
www.illibraio.it
www.infinitestorie.it

FAI BEI SOGNI

Molto più importante di quello
che sappiamo o non sappiamo è
quello che non vogliamo sapere.

Eric Hoffer

Come ogni anno, l'ultimo dell'anno sono passato a prendere Madrina per accompagnarla dalla mamma.

Madrina è un legno antico ben conservato. Vive da sola in una casa piena di luce, dove legge libri gialli e chiacchiera con le fotografie incorniciate di suo marito. Ogni tanto cambia mensola e parla con la foto della mamma, principalmente di me.

Suppongo le taccia le informazioni più scabrose. Che ho avuto due mogli, sia pure una alla volta. E che non ho poi fatto l'avvocato.

Mentre la aiutavo a infilarsi il cappotto, è stata lei a portare il discorso sul romanzo che le avevo regalato a Natale.

«L'ho finito stanotte...»

«Ti è piaciuto, anche se non è un giallo?»

«Certo, lo hai scritto tu.»

«E le pagine che riguardano la mamma?»

«Appunto di quelle volevo parlarti.»

«Sono le uniche autobiografiche. Ci ho messo un pezzo della mia storia lì dentro.»

«Sei sicuro che sia la tua storia?»

«Perché... non lo è?»

«Non è andata proprio così... Caro il mio ragazzo, avrei una cosa da darti.»

L'ho vista armeggiare con chiavi da gnomo intorno ai cassetti del comò. Fra le sue belle mani piene di nodi è spuntata una busta marrone.

Me l'ha consegnata con un tremolio nella voce.

«Dopo quarant'anni sarebbe ora che qualcuno ti dicesse la verità.»

QUARANT'ANNI PRIMA

I

Quarant'anni prima, l'ultimo dell'anno mi ero svegliato così presto che credevo di sognare ancora. Ricordo l'odore della mamma nella mia stanza, la sua vestaglia ai piedi del letto. Che ci faceva lì?

E poi: la neve sul davanzale, le luci accese in tutta la casa, un rumore di passi strascicati e quel guaito di creatura ferita.

«Nooooo!»

Infilo le pantofole nei piedi sbagliati, ma non c'è tempo per rimediare. La porta sta già cigolando sotto la spinta delle mie mani, finché lo vedo in mezzo al corridoio, accanto all'albero di Natale.

Papà.

La quercia della mia infanzia, piegato come un salice da una forza invisibile e sorretto per le ascelle da due sconosciuti.

Indossava la giacca da camera color porpora che gli aveva regalato la mamma. Quella con un cordone delle tende al posto della cintura. Si muoveva a scatti, scalciando e contorcendosi.

Appena si accorse della mia presenza, lo sentii mormorare: «È mio figlio... Per favore, portatelo dai vicini».

Abbandonò la testa all'indietro e urtò l'albero di

Natale. Un angelo con le ali di vetro perse l'equilibrio e precipitò al tappeto.

Gli sconosciuti erano muti ma gentili e mi parcheggiarono sul lato opposto del pianerottolo, da una coppia di pensionati.
Tiglio e Palmira.
Tiglio affrontava la vita dietro la corazza immutabile del suo pigiama a righe e con il conforto di una ostinata sordità. Comunicava soltanto per iscritto, ma quella mattina si rifiutava di rispondere alle domande che gli avevo scarabocchiato in stampatello sul margine bianco del giornale.

DOV'È
LA
MAMMA?
HANNO
RAPI-
NATO
PAPÀ?

Dei banditi dovevano essere entrati in casa durante la notte... E se fossero stati i due che lo tenevano per le ascelle?
Apparve Palmira con le borse della spesa.
«Papà ha avuto un po' di mal di testa, bambìn. Ma adesso sta bene. Quei signori erano i medici che lo hanno visitato.»
«Come mai non avevano il camice?»

« Lo mettono solo in ospedale. »

« E come mai erano due? »

« I medici del pronto soccorso sono sempre in due. »

« Ah, giusto. Così se uno si ammala di colpo, l'altro lo può guarire. Dov'è la mamma? »

« Papà l'ha accompagnata a fare una commissione. »

« E quando torna? »

« Presto, vedrai. La vuoi una cioccolata calda? »

In mancanza della mamma mi accontentai della cioccolata.

Qualche ora dopo venni preso in custodia dai migliori amici dei miei.

Giorgio e Ginetta.

Non credo di averli mai considerati separatamente. Mamma e papà si erano conosciuti al loro matrimonio, una circostanza che non smetteva di stimolare gli ingranaggi del mio cervellino.

« Mamma, ascolta: se Giorgio e Ginetta si fossero dimenticati di portarti alla festa, saresti stata sempre tu la mia mamma oppure un'altra invitata? »

Avevo una lingua mai esausta, nonostante fosse piena di tagli e di toppe come il grembiule di un artigiano.

« È un miracolo che con un attrezzo simile suo figlio possa parlare » aveva spiegato il pediatra alla mamma.

« Adesso di miracolo ne servirebbe un altro, dottore: riuscire ogni tanto a farlo stare zitto» aveva risposto lei. «Con la parlantina che si ritrova mi diventerà un avvocato.»

Non ero d'accordo. Io volevo smettere di parlare e incominciare a scrivere. Quando mi convincevo che qualche adulto aveva commesso un'ingiustizia nei miei confronti, gli agitavo una biro sotto il mento: «Da grande racconterò tutto in un libro che si intitolerà *Io bambino*».

Il titolo era migliorabile, ma il libro sarebbe stato una bomba.

La verità è che avrei preferito essere un pittore. A sei anni avevo già dipinto il mio ultimo capolavoro: *La mamma mangia un grappolo d'uva*. Il grappolo era alto il doppio della mamma, gli acini sembravano le palle dell'albero di Natale e la faccia della mamma era identica a un acino.

Lei lo aveva appeso in cucina e lo mostrava con orgoglio ai parenti di passaggio. Dalle loro facce perplesse avevo ricevuto il primo responso esistenziale: la pittura non sarebbe mai stata il mio talento. Il mondo che avevo dentro avrei dovuto cercare di disegnarlo con le parole.

A casa di Giorgio e Ginetta andò in scena il cenone più triste della storia. Malgrado i miei tentativi di ravvivare la conversazione, io e il figlio tredicenne venimmo spediti nei letti a castello alle nove di sera, dopo una pastasciutta e una bistecchina, entrambe al burro.

Non ci fu verso di ottenere una fetta di panettone e una spiegazione decente. Mamma e papà erano andati a fare una commissione, la stessa della mattina o forse un'altra, ma altrettanto misteriosa. E noi dovevamo filare subito a nanna.

Ricordo il respiro regolare del mio compagno di clausura sopra di me. E i fuochi di mezzanotte che smacchiavano il buio della stanza attraverso le serrande non perfettamente abbassate.

Rintanato sotto le coperte, gli occhi accesi e la testa vorticante come una giostra incantata, continuavo a chiedermi cosa avessi combinato di tanto tremendo durante le vacanze di Natale per meritare un castigo simile.

Avevo detto due bugie, risposto male una volta alla mamma e tirato un calcio nel sedere a Riccardo, il bambino della Juve che abitava al secondo piano.

Non mi sembravano peccati gravi, specie l'ultimo.

Il primo dell'anno Giorgio e Ginetta mi dissero che al ritorno dalle commissioni la mamma si era dovuta fermare in ospedale per alcuni esami. Erano mesi che non smetteva di fare commissioni e di dare esami. Sempre in ospedale, poi. Se almeno fosse venuta a scuola, le avrei insegnato a copiare.

La immaginavo alle prese con uno dei problemi che la Maestra ci aveva assegnato per le vacanze. Un bambino percorre tre chilometri e ogni due ettometri perde due palline: quante palline avrà perso dopo millenovecento metri?

Io detestavo gli ettometri. E quel bambino idiota che perdeva palline da tutte le parti, eppure continuava la sua passeggiata come se niente fosse.

Al pomeriggio riapparve papà per accompagnarmi in ospedale dalla mamma. Era tornato una quercia.

«Prima passiamo a prenderle dei fiori» proposi.

«No. Prima andiamo a trovare Baloo. Deve parlarci di una cosa importante.»

Mi impuntai. Baloo era il sacerdote dei lupetti, la sezione infantile degli scout che frequentavo da qualche mese. Lo avrei salutato volentieri, se solo avesse aspettato il suo turno. Però non poteva tagliare la strada alla mamma.

La mediazione di Giorgio e Ginetta propiziò un compromesso onorevole. Saremmo andati in ospedale dopo l'incontro con Baloo, ma i fiori li avremmo comprati prima.

Mi presentai all'oratorio degli scout con un'aiuola di rose rosse fra le braccia.

Dall'orso del *Libro della giungla*, suo omonimo, Baloo aveva copiato i modi goffi e la bontà. Ci accolse nella sala riservata alle riunioni dei lupetti e fece subito una battuta sul campionato di calcio. Nonostante fosse nato a Buenos Aires e vivesse a Torino come noi, tifava per il Cagliari di Gigi Riva.

Aveva delle figurine di calciatori da farmi vedere, ma papà lo interruppe.

«Gliele mostrerà un'altra volta, Baloo.»

Lui sospirò e mi chiese di guardare il soffitto: un cielo di gessetti azzurri che avevo contribuito a colorare. Affondò una mano enorme nella mia spalla e con l'altra indicò il cielo a gessetti.

«La mamma è il tuo angelo custode, lo sai. Da tempo chiedeva il permesso di volare lassù per proteggerti meglio e ieri il Signore l'ha chiamata a sé...»

Sentii un cucchiaio di ghiaccio penetrarmi nella pancia e svuotarmela tutta. Mi voltai di scatto verso papà, alla ricerca di qualsiasi indizio assomigliasse a una smentita, ma vidi soltanto che aveva gli occhi rossi e le labbra bianche.

«Andiamo a pregare» disse Baloo.

«L'eterno riposo dona a lei, Signore. Splenda a lei la luce perpetua. Riposi in pace. Così sia.»

La voce calda di Baloo risuonava lungo le navate della chiesa deserta.

In ginocchio nel primo banco, l'aiuola di fiori rossi serrata sul petto, muovevo le labbra al suo ritmo, ma dal cuore mi sbocciavano parole diverse.

«Breve riposo dona alla mamma, Signore. Svegliala, falle un caffè e rimandala subito qui. È mia mamma, capito? O riporti giù lei o fai venire su me. Scegli tu. Ma in fretta. Facciamo che adesso chiudo gli occhi e quando li riapro hai deciso? Così sia.»

La mamma venne adagiata nel salotto di casa ed esposta alla curiosità dolente del vicinato.

Io mi rifiutai di vederla. Ero ancora convinto che sarebbe tornata. Appartiene alla mia natura non considerare irreparabili le sconfitte. I film che preferisco sono quelli in cui il protagonista perde tutto, ma arrivato sull'orlo del baratro fa un passo indietro e incomincia la rimonta.

Solo in età adulta avrei imparato a non scappare dalle bare ancora aperte. E avrei scoperto che i morti rimpiccioliscono. Quasi che l'abito d'ossa si restringa di un paio di misure, dopo che lo spirito ha smesso di alitargli la vita.

I morti rimpiccioliscono e i sopravvissuti incattiviscono, come innamorati respinti. Sono offesi con il mondo che non soffre quanto loro.

Il dolore mi rendeva intrattabile. Era già successo due anni prima, quando ero risorto dall'operazione alle tonsille con la gola in fiamme, urlando a medici e parenti assiepati al capezzale: «Via tutti, resta solo mia mamma!»

Anche adesso ringhiavo contro i visitatori. Ma lungi dall'irritarli, la mia scortesia sembrava raddoppiarne gli sforzi caritatevoli.

Non sopportavo le facce di circostanza, le carezze di chi mi compativa e le espressioni stupide che galleggiavano nell'aria.

Che disgrazia.

Così giovane.

Povero bambino.

Brutto male.

Come se fosse esistito un male bello, che ti faceva l'elemosina di lasciarti vivo.

L'operazione alle tonsille doveva essere stata un male bellissimo. La convalescenza mi aveva tenuto lontano dai compiti per settimane, in compagnia dei gelati della mamma e del mio rifugio segreto: il Sottomarino.

A una certa ora del pomeriggio abbassavo le serrande e mi infilavo nel letto all'incontrario, la testa in fondo e i piedi sotto il cuscino.

Effettuavo le immersioni in solitudine, però nei casi più delicati mi facevo scortare da Nemecsek, il ragazzo della via Pál che in una pagina del libro letta dalla mamma, e facilmente riconoscibile perché l'avevo imbrattata con la saliva amara dei miei singhiozzi, si trascina in strada nonostante sia moribondo per aiutare i compagni nella battaglia decisiva.

I nemici circondavano il Sottomarino da ogni parte. Ma io, protetto dal velo magico delle lenzuola, resistevo ai loro assalti fino all'arrivo della mamma con il vassoio della merenda. Quella fantasia mi trasmetteva un senso di sicurezza che in seguito avrei ritrovato soltanto nella scrittura.

La mattina dei funerali mi chiusi in camera e attesi che la bara fosse uscita di casa. Abbassai le serrande, mi infilai all'incontrario sotto le lenzuola e salii a bordo del Sottomarino con un bisogno disperato di dichiarare guerra al mondo intero. Ma non riuscivo più a trovare i nemici. Erano tutti dentro di me.

IV

Incominciavo a odiarla perché non tornava. Cercavo di non pensare a lei, ma la testa era più forte del mio proposito e nei momenti di stanchezza prendeva il sopravvento. Allora andavo alla deriva, trascinando detriti di ricordi. Il sapore delle sue bistecchine al burro. L'odore buono dei suoi capelli quando la abbracciavo. L'ultima volta in cui eravamo stati felici.

Avevano trasmesso alla televisione lo sceneggiato dell'*Odissea* e io ero rimasto sconvolto dal ciclope Polifemo che sbatteva i compagni di Ulisse contro le pareti della caverna e se li infilava in bocca come ovetti freschi.

Nella mia immaginazione la voce di Polifemo si sovrapponeva a quella rauca e terribile del poeta Giuseppe Ungaretti. Era lui ad aprire tutte le puntate, recitando i versi di Omero. Appena smetteva di gracchiare, andava in onda il riassunto per immagini degli episodi precedenti e così la settimana successiva avevo visto ripassare la scena degli ovetti.

I bambini assuefatti agli scannamenti televisivi considereranno il pasto del ciclope uno spuntino dietetico. Invece io mi svegliavo nel cuore della notte con la sensazione spiacevole di essere un ovetto concupito dall'occhio singolo di Polifemo. Dopo un breve duello contro il buio, mi dichiaravo sconfitto e andavo a rifugiarmi nel lettone dei miei.

Per porre un freno a quelle migrazioni notturne, indegne di un ometto di ben otto anni, la mamma aveva installato sul mio comodino un abat-jour a basso consumo che rimaneva sempre acceso. Ma tutti sapevamo che una visione ulteriore del ciclope mi sarebbe stata fatale.

Giunse la sera dell'ultima puntata e prima che sul teleschermo si dipanasse il riassunto degli episodi precedenti io scappai in cucina con la mamma. La abbracciai forte, annusando i suoi capelli biondi, finché dal salotto papà non diede il segnale di cessato allarme.

Gli altri ricordi erano confusi, riottosi e appiattiti sugli ultimi. Quando aveva smesso di volermi bene? I suoi famosi occhi azzurri si erano spenti dopo l'estate. All'improvviso era diventata querula e cupa. Proprio lei che aveva sempre avuto un sorriso per tutti. Evidentemente aveva esaurito le scorte.

Una mattina era sparita «per fare delle commissioni». L'avevo vista tornare di lì a qualche giorno, ancora più triste. In casa ci dividevamo i compiti: papà la accarezzava con le parole e io le parlavo con le carezze. Ma la mamma sembrava non ricambiare nessuno dei due.

Madrina era la sua amica del cuore e ogni domenica pomeriggio veniva in visita con il marito, zio Nevio.

Io mi sforzavo di attirare l'attenzione degli uomini, attingendo al mio repertorio: lettura di menu immaginari («Gradite una lasagna di rospo?») e radiocronache calcistiche improvvisate. Ma appena papà e zio Nevio si mettevano a discutere di politica, correvo in cucina a lamentarmi.

«Di là non mi ascoltano!»

Madrina rideva. La mamma invece mi guardava con certi occhi vuoti che facevano spavento quasi quanto quello di Polifemo.

Ormai dipendeva completamente da una brava signora che la aiutava nelle pulizie di casa.

Madamìn.

Era vedova con due figli e lavorava per bisogno, eppure si sarebbe detto che ad animarla fosse uno slancio di cortesia. La sua dignità nobilitava i gesti più umili e la rendeva autorevole. Con lei la mamma ritornava bambina.

La vigilia dell'ultimo dell'anno avevo fatto irruzione in cucina per un annuncio straordinario.

«Mamma, preparati: ho convinto papà a portarci a vedere il nuovo film di 007!»

Si era messa a fare i capricci.

«Senza Madamìn non vengo.»

Ma l'avevo invitata a uscire con me! Non le bastava? Non le bastavo?

«Vaffantubo» le avevo detto.

Vaffantubo.

Mi ero chiuso in camera a doppia mandata e c'era voluta l'autorità di mio padre per far compiere il cammino inverso alla chiave.

La mamma era rimasta appesa al braccio di Madamìn per tutto il film. *Agente 007 – Al servizio segreto di Sua Maestà*. Il primo senza Sean Connery, sostituito da un James Bond della mutua.

Che avessero sostituito anche mia mamma? Quella non era più lei e ne ebbi conferma la sera. L'ultima in cui la vidi.

Mi aveva chiamato accanto al lettone e chiesto scusa per la faccenda di 007. Ci eravamo abbracciati alla vecchia maniera, la mia testa persa nei suoi capelli a respirarne il profumo.

Sembrava tornata. E invece era bastato un colpo di tosse perché ricominciasse a fare l'impiastro. Con quella voce lamentosa, che da allora non sopporto nemmeno nei mendicanti, si era raccomandata per l'ennesima volta che mi comportassi bene con tutti. E io: sì, mamma, buonanotte, adesso posso andare?

«Fai bei sogni, piccolino.»

«Io non sono piccolino. Fra un po' sarò più alto di te.»

«Sì che lo sarai. Più alto e più forte. Me lo prometti?»

Non la reggevo proprio. Ero sparito nella mia stanza e in segno di protesta mi ero infilato sotto le coperte senza lavarmi i denti, sprofondando in un sonno di piombo.

Il mistero della vestaglia abbandonata mi venne rivelato da Madamìn.

Brutto Male aveva svegliato la mamma durante la notte, ma lei lo aveva pregato di portare pazienza ancora un po', il tempo di venire a rimboccarmi le coperte. Quando era uscita dalla mia stanza aveva dimenticato la vestaglia sul letto e lì il racconto di Madamìn si interrompeva sempre, intralciato dai singhiozzi.

Ignoravo come avrebbe potuto sentirsi una mamma alle prese con Brutto Male. Abbastanza male di sicuro, per quanto le mamme fossero dotate di risorse inesauribili. Ma non era possibile che soltanto la mia fosse riuscita a convincere quel tanghero a darle il permesso di venire a rimboccarmi le coperte.

Si trattava di una frottola messa in giro da una persona dotata di scarsa fantasia. Dunque da papà. Voleva farmi credere che fino all'ultimo la mamma ci aveva voluto bene. Mentre, se era scappata con Brutto Male, era proprio perché non ce ne voleva più.

Che si fosse stufata di lui riuscivo persino a capirlo. Ma come aveva potuto smettere di amare me?

Non essere amati è una sofferenza grande, però non la più grande. La più grande è non essere amati più. Nelle infatuazioni a senso unico l'oggetto del nostro amore si limita a negarci il suo. Ci toglie qualcosa che ci aveva dato soltanto nella nostra immaginazione. Ma quando un sentimento ricambiato cessa di esserlo, si interrompe brutalmente il flusso di un'energia condivisa. Chi è stato abbandonato si considera assaggiato e sputato come una caramella cattiva. Colpevole di qualcosa d'indefinito.

Così mi sentivo io. Non avevo saputo trattenerla. Forse era andata a cercarsi un figlio che riuscisse a disegnarla meglio.

Eppure sentivo che sarebbe riapparsa. Magari con l'altro figlio. Pazienza. Avrei accettato qualsiasi umiliazione, purché tornasse da me.

V

Nell'attesa mi avrebbe fatto comodo una mamma di riserva. Purtroppo il destino aveva sterminato le candidate principali.

Nonna Emma, la mamma romagnola di papà, era una di quelle donne che attirano leggende. La più scintillante: che da ragazza avesse stampato uno *smataflòn* – un ceffone – sul muso del futuro Duce suo conterraneo, quando lui aveva cercato di possederla sopra un pagliaio. La millanteria era attribuibile al nonno socialista, ma veniva ritenuta degna di fede da chiunque avesse conosciuto le mani di nonna Emma.

Un'altra volta, e lì c'erano le prove, aveva fatto irruzione in un cantiere sotto casa per costringere il geometra aguzzino a versare la paga ai muratori, mulinandogli davanti alla testa un mattarello ancora sporco di farina. Lo stesso mattarello con cui aveva poi minacciato i muratori, se solo si fossero azzardati a dilapidare la paga in osteria, anziché andare a consegnarla di filato alle loro mogli.

A trent'anni era emigrata col nonno a Torino. Di giorno lavorava come portinaia e la sera arrotondava in pizzeria, sfornando piadine al prosciutto e teglie di farinata.

Il suo bene più prezioso consisteva in una scatola di latta. Appena il nonno ritirava lo stipendio da tranviere, nonna Emma lo requisiva per diritto di vino – nel senso che altrimenti lui se lo sarebbe andato a scolare con gli amici – e lo spalmava dentro la scatola in cui aveva già messo al sicuro il proprio.

Il tesoro veniva suddiviso in tre mucchietti. Uno per le bollette, uno per la spesa e l'ultimo, il più importante, per i desideri. La nonna esprimeva il desiderio – la lavatrice, il frigorifero, la macchina da cucire – e curava la crescita del mucchietto mese dopo mese. Gli altri membri della famiglia non osavano avvicinarsi alla scatola. Avrebbero dovuto passare sul suo corpo, che come il carattere era piuttosto ingombrante.

Quando il mucchietto dei desideri era giunto a maturazione, nonna Emma indossava il vestito della festa e si recava al negozio. Neanche la Principessa sul Pisello avrebbe potuto rivaleggiare in fierezza con il suo sguardo.

Il giorno in cui un commesso le suggerì un acquisto a rate, lo scrutò come se fosse stato farina per il suo mattarello.

«Pensa davvero che sarei così stupida da continuare a pagare per qualcosa che ho già?»

Nonna Emma.

Di lei ricordo i bronci improvvisi, le mani affondate come pale nella sfoglia delle lasagne e il suo celebre *cremigi*: un budino giallo e nero che rovesciava in un piatto ovale, lasciandomi scrostare col cuc-

chiaio di legno i bordi della pentola intrisi di cioccolato ancora caldo. Ogni volta papà ci rimaneva
malissimo, perché a lui lo aveva sempre proibito.

Il nonno le era talmente sottomesso che quando
morì tutti pensarono che non se ne sarebbe accorta.
Invece, per quegli equilibri misteriosi delle coppie
apparentemente squilibrate, sei mesi più tardi si
spense anche lei, tra dolori atroci che il cuore gene-
roso della mamma aveva cercato di alleviare fino al-
l'ultimo.

Nonna Emma si era opposta al matrimonio dei
miei con una raffica di bronci. Avrebbe voluto
che papà sposasse una ragazza più danarosa.

Lui era succube della madre, ma l'amore è una
rivoluzione e gli aveva messo in corpo energia suf-
ficiente per mandare al diavolo la nonna e, già che
c'era, anche il nonno.

«Sarebbe ora che tu imparassi a portare i pantaloni in questa casa!» gli aveva urlato, prima di uscire sbattendo la porta.

Papà e nonna Emma si erano guardati a lungo in
cagnesco. Era stata la mamma a riconciliarli, accet-
tando di trasferirsi nell'appartamento dei suoceri
dopo la luna di miele.

La piccola comunità si reggeva su un principio
inconfutabile: tutto il potere a nonna Emma.

Ogni aspetto della vita quotidiana soggiaceva alla
dittatura di regole dettagliate. La domenica era con-
sacrata alla pulizia dei corpi. Ma poiché la Costitu-

zione della Nonna non contemplava che la vasca da bagno fosse riempita e svuotata quattro volte, la stessa acqua doveva servire a entrambi i coniugi di una coppia, così da dimezzare gli sprechi.

Sbarcata in uno Stato ostile col marchio della clandestina, la mamma aveva attuato una forma di ribellione che consisteva nel rispondere alle angherie con gesti incondizionati d'amore. Non dava in cambio di qualcosa. Dava e basta. Con noncuranza, senza rinfacciare mai nulla né nutrire aspettative di ricompensa. Papà non avrebbe fatto che ripetermelo tutta la vita, per rimarcare la differenza fra lei e me.

E poi aveva il dono di una risata irresistibile. Madrina mi ha raccontato che alla cerimonia di nozze il prete non riusciva ad andare avanti perché la sposa rideva di continuo. Appena aveva smesso di ridere con la bocca, aveva continuato a farlo con gli occhi, contagiando persino il suo imminente marito, fierissimo orso. Quei due si erano detti di sì per sempre ridendo come pazzi.

Il carattere della mamma aveva smontato i pregiudizi di nonna Emma e la mia nascita aveva fatto il resto. Erano diventate buone amiche e quando camminavo in mezzo a loro mi sentivo al sicuro.

Non come adesso che ai miei fianchi camminavano soltanto uomini.

ALMENO DAVID COPPERFIELD
AVEVA UNA ZIA

VI

Almeno David Copperfield aveva una zia. Io mi sarei dovuto accontentare dei quattro fratelli maschi della mamma.

Il più giovane ne condivideva la sensibilità e in quel presepe di lozioni da barba finì per incarnare l'elemento femminile. Presi l'abitudine di chiamarlo Mio Zio. Provavo un bisogno disperato di imporre vincoli di appartenenza ai sopravvissuti.

Un sabato pomeriggio Mio Zio mi accompagnò a trovare l'altra nonna in una casa di riposo affacciata sui vigneti delle Langhe. Durante il tragitto conobbi le ragioni per cui non avrei potuto contare su di lei.

Nonna Giulia aveva avuto tante disgrazie e troppi figli. L'ultimo era stato proprio Mio Zio. Mentre era incinta di lui si era presa la rosolia e da allora aveva sofferto di crisi epilettiche.

Allo scoppio della seconda guerra mondiale il marito le era morto fra le braccia per un raffreddore guaribile con un'iniezione di penicillina, lasciandole una pensione da vedova e cinque orfani a stomaco vuoto, che era toccato alla primogenita riempire: a sedici anni mia mamma aveva cominciato a lavorare alla Fiat come dattilografa, senza smettere di occuparsi della madre e dei fratelli.

Potevo testimoniare che aveva continuato a tenerli d'occhio anche dopo. Casa nostra era un viavai continuo di giovanotti imbarazzati che venivano a interpellare la Grande Sorella su qualsiasi argomento: l'amore, il lavoro, il colore dei calzini.

La mamma li riceveva in cucina, dove depositavano l'obolo della consulenza: una scatola di *marron glacé*. Dalla mia postazione privilegiata di sbucciatore di piselli e primo assistente della cuoca ascoltavo discorsi incomprensibili, punteggiati di espressioni come «brava ragazza» e «posto sicuro».

Mio Zio era più giovane della mamma di una dozzina d'anni e si sentiva un po' figlio suo. Mi raccontò della notte in cui aveva attraversato la città su un motorino scalcagnato per raggiungere la clinica in cui ero appena venuto al mondo. Mentre gli altri parenti assediavano l'ostetrica per avere mie notizie, lui anzitutto aveva voluto sapere come stava lei.

«Mi ha mostrato la tua cacca tante di quelle volte!»

«In che senso?» Arrossii.

«La facevi in un vasino a forma di oca. Tua mamma lo portava in giro per casa, magnificando il contenuto neanche si fosse trattato di una scultura. Era pazza di te.»

«E allora perché se n'è andata?»

Evidentemente le ero piaciuto finché avevo usato il vasino. Da quando ero passato alla tazza aveva smesso di volermi bene.

«Non lo ha scelto lei. È il destino che le è caduto addosso...»

Mio Zio staccò una mano dal volante e si infilò gli occhiali da sole per non farmi vedere che piangeva.

Arrivati alla casa di riposo attraversammo stanze piene di anni. Avrei mai visto la mamma con un mazzo di rughe sul volto? O sarebbe rimasta per sempre la giovane signora della foto che si affacciava da uno scaffale della libreria? La collana di perle e la camicia di maglina si erano messe d'impegno nell'invecchiarla, ma venivano smentite dal suo sorriso di ragazza e dagli occhi azzurri e puliti, disposti ancora a stupirsi di tutto.

Nonna Giulia ci venne incontro su ciabatte instabili. Mi abbracciò con un gesto più disperato che affettuoso e mi trascinò in una camera immersa nel verde.

«Cos'hanno fatto a mia figlia?» gridò, prima che Mio Zio riuscisse a sradicarmi dalla sua morsa.

Non avevo mai pensato che la mamma fosse anche una figlia.

Mi stupì che nessuno avesse ancora detto a nonna Giulia la verità, e cioè che la mamma aveva incontrato Brutto Male al ritorno da una serie di commissioni.

Se Mio Zio non mi avesse trascinato via, le avrei illustrato io lo svolgimento dei fatti, tacendole solo le mie note perplessità sulla faccenda della vestaglia.

Le avrei spiegato che i colpi di scena non erano ancora finiti e il prossimo sarebbe stato la ricomparsa della Scomparsa.

Le mamme non godevano forse di un salvacondotto speciale che le rendeva libere di scegliere i tempi e i modi delle loro entrate in scena?

Seduto accanto a Mio Zio in automobile, mi sforzavo di tenere lo sguardo sulla strada. Dopo ogni cartello pubblicitario giuravo a me stesso che a quello successivo avrei sterzato sull'argomento. Invece ci girai al largo fino a casa.

Certe domande mi facevano paura. O forse mi spaventavano di più le risposte.

VII

Se sul fronte delle nonne la disfatta era completa, anche per le altre vicemamme si approssimava il momento della resa.

Avendo due figli da accudire, Madamìn non poteva trasferirsi a casa nostra.

Madrina di figli non ne aveva, ma litigò con papà. Uno scontro gelido, pieno di non detti. Lei e zio Nevio sparirono prima un po' alla volta e poi del tutto.

Mio padre liquidò l'avvenimento con una delle sue massime da finto duro: «È una gran brutta disgrazia avere bisogno del prossimo, ma noi per fortuna non abbiamo bisogno di nessuno».

Forse mi chiesi se esisteva un nesso fra quel dissidio misterioso e il destino della mamma. O forse non me lo chiesi affatto: è la memoria che edulcora i ricordi e cerca di farmi passare per un piccolo ispettore alla ricerca di indizi, mentre ero solo un bimbo istupidito dal dolore che continuava a negare la morte di sua madre.

Nel deserto di donne che stava assetando la mia vita rimanevano la Maestra e le mamme degli altri bambini.

La Maestra aveva un cervello a forma di cuore. Noi alunni eravamo i suoi quaranta figli adottivi. Troppi per qualsiasi madre, ma non per lei che leggeva l'anima a tutti, dosando rimproveri e gratificazioni.

Era cresciuta in una famiglia socialista e parlava malissimo degli americani, all'epoca impantanati nella guerra del Vietnam. Io prendevo nota e riferivo a papà, che invece gli americani li adorava perché lo avevano aiutato a cacciare i nazisti dall'Italia. Credo di avere imparato allora i rudimenti di quello che sarebbe poi diventato il mio mestiere. Prendere nota e riferire. Con una buona dose di partecipazione emotiva, ma consapevole che di ogni fatto esistono sempre almeno due versioni.

Papà ascoltava i miei reportage in silenzio. Lui e la mamma non screditavano mai la Maestra. Se rimediavo un votaccio, significava che me l'ero meritato, non che lei nutriva un pregiudizio nei miei confronti. Le prime autorità che ho incrociato nella vita erano abbastanza autorevoli da non delegittimarsi a vicenda e mi davano la sensazione rassicurante di abitare un universo ordinato.

La scomparsa della mamma sporcò la nitidezza del quadro, imprimendomi il marchio del diverso. Il piccolo lord cresciuto dentro la reggia dorata – madre dolce ma giusta, padre amaro ma giusto – si ritrovò scaraventato all'improvviso nella polvere.

Ero l'unico della classe a non essere più accessoriato di madre amorevole. E anche se la Maestra stava attenta a non pronunciare mai la parola «mamma» in mia presenza, dentro di me il disagio per la condizione di orfano si mescolava al terrore che fosse ineluttabile e nutriva il demone dell'aggressività.

Nei primi anni di scuola avevo reso testimonianza al segno zodiacale della Bilancia sotto il quale ero nato, prodigandomi fra i compagni nel ruolo di pacificatore. Ora invece reagivo colpo su colpo alle provocazioni dei più maneschi.

Perché avrei dovuto continuare a comportarmi bene, se tanto non c'era più nessuno a dirmi bravo?

Le mamme degli altri bambini mi abbracciavano con un affetto gonfio di commiserazione, come se fossi stato un peluche caduto in una pozzanghera: stando attente a non sporcarsi troppo. In modo ben diverso le vedevo abbracciare i loro figli, che poi era il modo in cui la mamma aveva sempre abbracciato me. Una specie di slancio primordiale.

Non è semplice rimanere orfani nel paese dei mammoni. Certo, è anche il paese dei vittimisti e la perdita precoce di un genitore, se ben esibita, può diventare un'aureola o un certificato di impunità. Però per il ruolo di vittima bisogna esserci tagliati.

Io non chiedevo compassione e privilegi, ma amore. Pretendevo che qualcuno facesse il tifo per me. Invece per nessuna di quelle mamme sarei mai stato il primo della lista.

Nascondevo la mia disperazione dietro una maschera d'orgoglio, ispirata all'epica paterna dell'eroe solitario che sa bastare a se stesso.

Non ho mai sopportato chi si piange addosso. Io non piangevo nemmeno di notte. Credevo ancora che una mattina mi sarei svegliato e avrei visto la mamma ai piedi del letto con la vestaglia sulle spalle. Non volevo che trovasse il cuscino zuppo di lacrime.

VIII

Finché arrivò Mita, la tata incaricata di spolverarmi la vita.

Immaginavo una Mary Poppins che mi avrebbe riempito di baci e torte al cioccolato. La mia unica preoccupazione era che fosse troppo bella e papà se la sposasse.

Appena la vidi, tirai un sospiro di sollievo: aveva i baffi come il bidello della scuola. Sguainò le gengive in una smorfia da mummia e la puzza del suo alito mi stese.

«Sarà bella dentro» azzardò Mio Zio.

Si sbagliava.

Mita era stata al servizio di una contessa della collina imparentata con gli Agnelli. Viveva papà come una retrocessione e me come una sciagura.

Memore degli abbracci roventi della mamma, cercai un contatto fisico con lei. Appurata la rigidità dei suoi gesti, tentai di varcare la soglia dei suoi sentimenti. Ma non c'era posto, in quella landa desolata, per chi volesse lasciarvi un'orma diversa dalla glorificazione nostalgica e maliziosamente comparativa della contessa perduta. L'unico momento in cui la sua vita si era affacciata sopra una fiaba.

Era la prima volta che incrociavo una persona veramente ottusa e non accettavo l'idea di adeguarmi al suo livello di conversazione. Volevo un pubblico entusiasta per i miei monologhi e il fatto che Mita non comprendesse nemmeno i ragionamenti più elementari mi faceva uscire dai nostri colloqui con la sensazione di essere pazzo o incompreso.

Trovammo un terreno comune soltanto nella televisione, di cui poteva a buon diritto ritenersi un'esperta grazie alla conoscenza approfondita dei testi: *Sorrisi e Canzoni* e *Radiocorriere TV*.

Era, la sua, una religione pagana con i presentatori e i cantanti al posto delle divinità. I cieli e la terra erano stati creati in sei giorni da Mike Bongiorno, che al settimo si era riposato per mandare in onda un varietà di Pippo Baudo.

Ma il vero spartiacque della storia umana era stata l'apparizione di Gigliola Cinquetti al Festival di Sanremo. Benché fossero trascorsi ormai parecchi anni da quel prodigio, Mita continuava a cullarsi nel rimpianto di un paradiso perduto. Quando la Cinquetti cantava *Non ho l'età per amarti* e lei stirava le sottovesti della sua contessa.

Un sabato d'autunno papà andò a cena fuori. Era la prima volta che mi lasciava solo di sera e la novità mi procurò qualche brivido d'inquietudine.

Mita prese possesso del salotto e si sedette davanti al televisore con *Sorrisi e Canzoni* aperto sul grembo come un messale. Stava per iniziare *Canzo-*

nissima, una gara di cantanti votati dai telespettatori attraverso le cartoline della lotteria.

Elettrice ondivaga, eppure dotata di una forma sottile di coerenza, Mita privilegiava i giovani di talento come Mino Reitano e Massimo Ranieri. Mi mise a parte del nome delle loro fidanzate e di molti altri segreti, ma la mia attenzione si scollò quasi subito dalle sue parole perché sul teleschermo era apparso qualcosa che la reclamava tutta.

Un ombelico.

La ragazza che osava esibirlo in pubblico si chiamava Raffaella Carrà ed era romagnola come nonna Emma e bionda come la mamma. Ricomparve più tardi in minigonna per tracciare traiettorie audaci con le gambe, sapientemente velate da calze di tenebra.

Ero troppo acerbo per cogliere in quelle mosse un presagio di sensualità, eppure il calore delle immagini scavò una breccia nelle pareti indurite della mia anima. Al termine del balletto mi sciolsi fra le braccia di Mita e, trattenendo il respiro come un palombaro, baciai le sue guance scavate.

«Sarai tu la mia mamma, adesso?» le chiesi con voce vergognosa.

«Mi dispiace, bambino...»

Disse proprio così: bambino. Senza chiamarmi per nome.

«Mi dispiace, bambino... Non ce la faccio a volerti bene. Nessuno ne ha mai voluto a me e... non so come si fa.»

«Se vuoi, te lo insegno io.»

Un po' in effetti me lo ricordavo ancora.

«Non ci riesco... scusami...»

Si passò una mano sugli occhi e scomparve in bagno proprio mentre incominciava a cantare Massimo Ranieri.

Soltanto allora sentii crollare il sipario di piombo dentro di me. Quell'illusione di riavere indietro l'amore perduto che mi aveva tenuto abbarbicato a un mondo immaginario per un anno intero.

Ammisi con me stesso che la mamma se n'era andata per sempre e che nessuno mi avrebbe più amato, accettato e protetto come lei.

Il viso schiacciato contro il cuscino del sofà, piansi finalmente per la sua sorte. E per la mia.

IX

Le aspiranti mamme erano cadute una dietro l'altra e così le speranze di riavere indietro l'originale. Mi restava soltanto papà.

Per colmare in parte l'abisso di una madre che muore bisogna essere dei maschi femmina. Severi all'occorrenza, ma sensibili. Invece papà era maschio e basta, cresciuto nel mito di due uomini forti: nonna Emma e Napoleone.

Aveva le mani grandi e uno sguardo truce che incuteva soggezione agli estranei e anche a me. Sembrava incapace di darmi una carezza che non assomigliasse a uno schiaffo, come di preparare un caffelatte decente. Nell'interregno fra la morte della mamma e l'arrivo di Mita fu costretto a interpretare un ruolo che non gli apparteneva.

Al termine delle lezioni la madre caritatevole di un compagno di scuola mi scaricava davanti all'ufficio pubblico in cui lui lavorava fino alle due. Abbarbicato a un angolo della sua scrivania, aspettavo l'ora X scarabocchiando grappoli d'uva giganteschi sul retro dei fogli che trovavo nel cestino. La mamma era sparita anche dai disegni.

Quando il pennarello si scaricava, papà mi consentiva di usare una biro dell'ufficio, ma appena ci alzavamo per andare a casa pretendeva che la rimettessi a posto.

«Non è nostra. Appartiene allo Stato.»

Sono cresciuto credendo che lo Stato fosse un produttore di biro.

Alle due e mezzo sedevamo intorno al tavolo della cucina ed era il momento peggiore, perché tutto in quella stanza ricordava la mamma.

Papà si metteva ai fornelli. I suoi pranzi mi sono rimasti sullo stomaco e nella memoria con un sentimento di stupefatta riverenza. Troppo assurdi per non apparire geniali. La sua specialità era la carne in scatola riscaldata.

Un maschio femmina avrebbe cercato una tata in grado di riscaldarmi soprattutto il cuore. Ma agli occhi di mio padre certi discorsi erano esercizi di stile per sognatori. Nella scelta di Mita si lasciò guidare dagli unici valori in cui si riconosceva: onestà e praticità.

Ricominciai a mangiare la carne in scatola fredda, temperatura perfettamente adeguata a quella della casa. In compenso dovetti cedere la mia camera alla nuova arrivata e rassegnarmi a dormire con lui.

Il lettone della mamma si dileguò per lasciare spazio a un paio di lettini singoli con dei copriletto a rombi neri e marroni.

I copriletto erano il problema minore. Papà russava come un orso strafatto di miele. L'unica era riuscire a addormentarsi prima che si infilasse nella tana.

Ogni relazione ha una tonalità principale e la nostra si era fissata per sempre su un prato dell'infanzia. Mentre trotterellavo caparbio verso la palla lanciatami da mio padre, avevo rischiato di calpestare una margherita e mi ero chinato a raccoglierla per farne dono alla mamma.

Lei si era commossa, lui aveva dubitato della mia virilità. Nelle biografie di Napoleone, che papà conosceva tutte a memoria, si leggeva forse che agli albori della carriera il futuro condottiero avesse preferito cogliere margherite per la madre, anziché esprimere la propria volontà di potenza prendendo a calci qualcosa o qualcuno?

Il racconto dell'episodio mi perseguitò per decenni come una facile profezia: «D'altronde, quand'era piccolo si chinava a cogliere le margherite...»

Privata del cuscinetto materno, la frizione fra i nostri caratteri aveva perso ogni parvenza di vitalità per diventare lo sfogo cupo di due vittime incomprensibili l'una all'altra. Nemmeno per lui doveva essere facile convivere con un figlio che nell'aspetto fisico e in alcuni tratti della personalità gli ricordava di continuo la donna che aveva perduto. Ma io ero troppo preso dalla mia sofferenza per interessarmi alla sua.

La mamma era argomento tabù. Una sola volta osai chiedergli quale fosse, in una classifica ipotetica delle disgrazie, la più meritevole del primo posto: la scomparsa prematura di una moglie o di una madre?

Non si trattava di una curiosità filosofica, ma di una richiesta d'aiuto. Erano trascorsi solo pochi mesi dalla sera in cui avevo scoperto che le femmine avevano l'ombelico e che la mamma non sarebbe più tornata. Sentivo un bisogno disperato di commuovermi con lui.

Eravamo sulla sua auto – una Fiat 124 Coupé, più adatta a un pilota smilzo che a uno così massiccio – diretti a casa di Giorgio e Ginetta per festeggiare un compleanno.

Mi tenne un discorso molto razionale che durò tre semafori rossi e si concluse in retromarcia al parcheggio con questo dispaccio solenne: eravamo sistemati male tutti e due, ma dei due chi stava messo peggio ero io, perché una moglie si può sostituire, una mamma no.

Scese dalla macchina e non ne parlammo mai più.

X

L'unico canale aperto fra noi era il Toro.

A cinque anni credevo che il Grande Torino fosse una favola. Papà me la raccontava per farmi addormentare, ma per fortuna io non mi addormentavo mai.

Volevo sapere come andava a finire e andava a finire sempre allo stesso modo: che dopo aver vinto cento e cento partite, segnando cento e cento gol, Quelli Là – lui li chiamava così, ed erano le uniche volte in cui si commuoveva – salivano su un aereo per il paradiso e non tornavano più.

Era tutto chiaro, perfetto. La morte per me non esisteva ancora. L'avrei conosciuta due anni dopo e sempre tramite il Toro, severo addestratore esistenziale.

Alla vigilia di un derby contro la Juve mi venne l'influenza. Ma bastò che la mamma scendesse a comprare le medicine perché mi sentissi subito meglio.

Dopo aver insignito un vaso e il portaombrelli del compito di pali, iniziai a danzare in corridoio, tenendo la pallina di gomma al guinzaglio dei piedi nudi. Facevo tutto da solo, anche la radiocronaca, scandendo con voce pigolante il nome del mio campione preferito.

«Gigi Meroni avanza, scarta un giocatore della Juve, poi un altro e un altro ancora... Ma che fa? Incredibile! Torna indietro e li scarta tutti daccapo. Adesso è davanti al portiere: gli fa passare la palla fra le gambe, sopra la testa, sotto le ascelle... Meroni è solo, a porta vuota...»

Suonò il campanello di casa ed era Riccardo, lo juventino del secondo piano.

«Meroni è morto, è morto!» cantilenò giulivo, con quella cattiveria soave che anima talvolta i bambini.

«Cosa dici?!» gli urlai, la pallina ancora appiccicata ai piedi. «Meroni sono io!»

Solo, a porta vuota.

«Meroni tu?! Ma sei scemo? Accendi la radio. Lo ha messo sotto una macchina.»

Niente aerei, stavolta.

Andai al derby con papà e vincemmo quattro a zero fra i singhiozzi. Una tipica gioia da Toro. Fu il mio battesimo del fuoco come tifoso granata. L'ingresso ufficiale in una setta di lamentosi ma indomiti sfidanti del destino.

Le mie domeniche obbedivano a un rituale immutabile. Durante il pranzo papà stilava l'elenco di tutte le ragioni per cui non mi avrebbe portato allo stadio e che si riassumevano poi sempre in una sola: si era stufato di perdere tempo e soldi dietro una banda di brocchi che usurpava il nome di Quelli Là.

Dopo aver sbucciato una mela con gesti chirurgici, si barricava in salotto a far finta di guardare la televisione, mentre io cominciavo a vestirmi: mutande e sciarpa granata, il resto come capitava.

Digerito il telegiornale, papà si affacciava alla finestra e fissava i tifosi in coda ai cancelli. Abitavamo davanti allo stadio.

Restava a osservarli in silenzio qualche minuto. Poi tirava un sospiro che sembrava un monsone, scompariva nello sgabuzzino per infilarsi le scarpe e da lì mi gridava: «Andiamo! Ma sappi che lo faccio soltanto per te».

Io ero già sul pianerottolo da un'eternità, appoggiato alla bandiera color del sangue e del barbera che mi aveva regalato Mio Zio. Entravamo sempre a partita iniziata e ogni volta mi vergognavo come quando papà mi portava in ritardo a scuola: con la mamma non sarebbe mai successo.

Lei era insensibile alle ossessioni del tifo, però aveva dovuto imparare a conviverci.

Quando, una domenica di primavera, papà le fece balenare la prospettiva di una gita sui luoghi dei *Promessi sposi*, la sventurata rispose. Non sapeva che quel giorno il Toro sarebbe andato a giocare proprio sul lago di Como.

Mentre bevevano un cappuccino davanti al palazzo dell'Innominato, lui le indicò con finta meraviglia il cartellone della sfida, appeso a una parete del bar.

Allo stadio la mamma pretese almeno un posto a

sedere: da qualche mese custodiva un ultrà dentro la pancia.

Sarei uscito di lì parecchie partite più tardi, quella però fu la prima della mia vita. Uno zero a zero sotto la pioggia. Ma io nel mio palco riscaldato ero ancora al sicuro.

Da quando la mamma aveva raggiunto Gigi Meroni e il Grande Torino, non mi sentivo più sicuro di niente. Le parole che pronunciavo in una domenica sarebbero potute entrare tutte in un sacchetto.

Papà era convinto che diventassi allegro solo quando vedevo il Toro e così incominciò a farmelo vedere anche in trasferta. Sai che allegria. Ne ricordo una a Varese, dove a tre minuti dal termine vincevamo due a zero. Finì due a due e passai il viaggio di ritorno a vomitare.

Poi però venne la primavera e, un piolo dopo l'altro, il Toro scalò tutta la classifica. Se una certa domenica dalle parti di Pasqua avessimo battuto il Napoli in casa, avremmo scavalcato la Juve e raggiunto la vetta. Come Quelli Là.

Stavolta papà mi portò allo stadio con un'ora di anticipo, ma non servì a molto: all'ultimo minuto languivamo ancora sullo zero a zero. Scrutai lui, il campo, le tribune. E dato che nessuno faceva niente, mi rivolsi direttamente a Dio.

«Ti prego, Signore, lasciaci segnare un gol. Mi hai già preso la mamma, sei in debito con me.»

Un attimo dopo l'allenatore del Toro gettò nella

mischia l'attaccante più piccolo del mondo. Si chiamava Toschi e da buon folletto corse subito a nascondersi tra i fili d'erba.

La palla riposava in grembo al portiere avversario, il quale la passò al terzino, il quale la ripassò al portiere, il quale la restituì al terzino, il quale fece per ridarla al portiere...

Fu allora che il folletto si stufò. Venne fuori dal nascondiglio, ghermì la palla vagabonda e la sospinse in rete.

Nell'esaltazione collettiva che ne seguì, nessuno si accorse di un ragazzino di undici anni con le mani giunte e gli occhi al cielo.

«Grazie, Dio!» strillai cadendo in ginocchio.

Grazie un corno. A fine campionato gli arbitri annullarono al Toro due gol regolarissimi e la Juve ci soffiò lo scudetto per un punto. Tutto per consentire a Riccardo di incollare alle pareti dell'ascensore le figurine dei suoi adorati *pigiami* (così avevo soprannominato i giocatori juventini, a causa delle maglie a strisce).

Mi si chiuse talmente lo stomaco che per una settimana mangiai solo grissini. Continuavo a chiedermi quanto potesse essere sadico un Dio che mi aveva voluto orfano precoce di madre e tifoso di una squadra tanto disgraziata.

XI

Con la fine delle elementari avevo perso anche l'ultima ringhiera, la Maestra. Mi trascinavo senza guida in uno spazio indistinto e cominciavo ad avvertire una sensazione che non mi avrebbe più risparmiato: un demone sovrappeso mi incatenava alla terra. Un mostro molle e spugnoso che si alimentava delle mie paure: sfiducia, rifiuto, abbandono.

Lo battezzai Belfagor, il Fantasma del Louvre di un telefilm che aveva conteso a Polifemo il primato delle mie angosce infantili.

Mi tormentava di domande. Con tutte le mamme che c'erano, come mai era morta proprio la mia? I miei compagni andavano a scuola accompagnati dalla mamma, mangiavano la bistecchina al burro cucinata dalla mamma, quando erano smarriti scomparivano fra le braccia della mamma. Perché io no?

Il mio cervellino arrancava in cerca di risposte. Se mi fossi alzato sulle punte, avrei visto che al mondo esistevano incongruenze ben peggiori: guerre, epidemie, inondazioni. Ma Belfagor sapeva spingermi solo verso il basso. E da lì l'unico orizzonte che riuscivo a scorgere era quello della mia piccola vita.

Ogni tanto papà minacciava di chiudermi in collegio. Succedeva quando dimenticavo l'apparecchio per i denti nel piatto di un ristorante. Oppure quando gli chiedevo di licenziare Mita e di sostituirla con un essere umano.

Divenni un lettore accanito di orfanotrofi. *Senza famiglia* e *Oliver Twist* dormivano sotto il mio cuscino, ma non mi davano alcuna consolazione. Arrivai persino a invidiarne i protagonisti. Erano disperati in mezzo ad altri disperati e la condivisione del problema faceva sì che non si sentissero dei diversi come invece mi sentivo io, che dopo le elementari ero finito in una scuola cattolica per soli maschi, abitata da figli di papà molto più ricchi del mio.

Avrei avuto bisogno di un'altra Maestra. Invece mi capitò padre Teschio.

Il nomignolo era ispirato alla conformazione agghiacciante del suo cranio. Dando prova di saggezza millenaria, la congregazione a cui apparteneva lo aveva esiliato in Libia, ma lui era scampato alle purghe di Gheddafi per rientrare in Italia a purgare me. Quando mi ribellavo a qualche sopruso, e ai miei occhi tutto era un sopruso, mi colpiva sulla nuca con le nocche quadre delle mani. Sguainando gengive simili a quelle di Mita, sibilava: «Tu non mi vuoi bene...»

Infatti non gliene volevo. Mi sentivo l'eroe all'incontrario dell'unico romanzo che Dickens non ebbe mai il cuore di scrivere: la storia di un bambino a cui tolgono senza motivo le donne della sua vita per costringerlo a crescere con una tata arida e un prete manesco.

Papà mi aveva iscritto a una scuola privata perché era l'unica che mi tenesse prigioniero fino a tarda sera, sollevandolo dall'incombenza di doversi occupare di me durante il giorno. Ma il privilegio di non vedere Mita alla luce del sole aveva un prezzo. La mensa del doposcuola.

Il settimo girone dell'inferno lo immagino così: una sala buia e rettangolare intrisa di odor di piedi, dove un cameriere allergico al sapone infila le crocchette di patate nei vassoi direttamente con le mani e pentoloni abnormi brontolano nell'oscurità, celando la pozione magica che trasformerà ogni affamato in un digiunatore volontario.

Sollevati i coperchi, il profumo della sala cambiava e il caro vecchio odor di piedi era schiacciato da un tanfo immondo di formaggio andato a male. Mentre il contenuto dei pentoloni veniva versato nelle zuppiere, padre Teschio in persona sovraintendeva al rito supremo: la preghiera con cui ringraziavamo il Signore per la nostra sbobba quotidiana.

Il risotto coi fegatini.

La prima volta che provai a mangiarlo lo vomitai, stupendomi che non ci fosse alcuna differenza fra quanto avevo rovesciato sul pavimento e quel che era rimasto nel piatto. Una poltiglia scura in mezzo alla quale andavano alla deriva come naufraghi le viscere degli animali sacrificati da Teschio durante qualche orrido rituale che si consumava nelle cucine.

Il creatore di quella leccornia era lui. Lo intuivo dalla passione con cui si aggirava fra i tavoli per controllare che ce ne fosse abbastanza per tutti. E appena trovava uno schizzinoso inappetente, erano nocche sulla nuca.

Non mi rivolgevo mai alla mamma per chiederle aiuto. L'avevo ibernata in una dimensione insondabile. Ma di fronte al risotto coi fegatini fui costretto a fare eccezione.

«Dammi un'idea, mammotta.»

E pensare che «mammotta» mi era sempre stata antipatica, come parola.

L'idea si materializzò mentre padre Teschio incombeva a due tavoli di distanza. Sarebbero serviti gesti rapidi e nervi d'acciaio. Sollevai il piatto stracolmo di fegatini e, trattenendo il respiro, lo passai sopra la testa di alcuni compagni a Rosolino, un tizio che mangiava di tutto, anche la carta delle caramelle e i tappi delle biro già morsicati da altri.

I fegatini facevano schifo persino a lui, ma non abbastanza da riuscire a interrompere il ciclo continuo del suo stomaco. Con tre cucchiaiate voraci ripulì il piatto e me lo restituì un attimo prima che gli occhiali di Teschio lo sottoponessero a un esame microscopico.

Rosolino continuò a ripulirmi il piatto un pranzo dopo l'altro. Ma una volta – una disgraziata volta – ci sbavò dentro un po' di brodaglia scura.

«La mamma non ti ha insegnato a fare scarpetta?» mi alitò addosso padre Teschio.

Intinse un pezzo di pane nel piatto e me lo infilò fra le labbra.

Respinsi il boccone alieno con un gesto automatico: sputandolo sulla tonaca di chi me lo aveva propinato. Fui sospeso per due giorni e papà non mi rivolse la parola fino all'estate. Comunicavamo a gesti.

In quegli anni c'erano ragazzi che incendiavano le scuole e sfidavano la polizia. Io sputavo brodaglia di fegatini addosso ai preti, ma nessuno mi considerava un eroe.

XII

Rosolino era arrivato a Torino dalla Sicilia appena in tempo per farsi catturare da Teschio. Suo padre, a sentir lui, fabbricava miliardi. Ma i compagni più biondi dicevano che puzzava. E questo, oltre al suo accento del Sud, era bastato a iscriverlo al club dei reietti.

Dall'unione delle nostre vergogne nacque un'amicizia destinata a rompersi ogni sera sul pulmino del doposcuola che ci riportava a casa. Giocavamo a far rimbalzare le figurine dei calciatori contro la superficie morbida del sedile. Chi riusciva a dar loro il giro maturava il diritto di mettersele in tasca.

Rosolino truffava e io pure, ma con minore abilità. Ci insultavamo a vicenda.

« Terrone! »

« Bastardo! »

Non sapevo cosa volesse dire e quando lo scoprii il mio amico aveva già cambiato città.

A lui, come a tutti, avevo raccontato che mia madre non veniva mai a prendermi a scuola perché viaggiava molto per lavoro. Faceva la rappresentante di cosmetici indiani.

Originale, vero? Una volta la mamma doveva aver ricevuto in salotto una venditrice di prodotti di bellezza. Ho il ricordo vago di una signora che le spennella del liquido rosa sopra le unghie. Ma il riferimento all'India rappresentava un'aggiunta d'artista, ispirata a eventi recentissimi.

Le vacanze di fine anno erano una domenica allungata, appesantita dai fantasmi della ricorrenza. Della mamma non si parlava nemmeno al cimitero, dove papà preferiva concentrarsi sugli aspetti pratici: comprare i fiori finti che duravano di più, spostare la scala a rotelle sotto la fila di lapidi al cui vertice sorrideva la foto della defunta, inerpicarsi fino in cima senza versare l'acqua dal vasetto (ma a cosa serviva l'acqua, se i fiori erano finti?), scendere e riportare la scala a rotelle nel punto esatto in cui era stata trovata.

Dopo aver sostato col naso all'insù per qualche minuto senza dire una parola, tornavamo a casa a spassarcela. Lui in una stanza, io in un'altra e in mezzo Mita con il televisore acceso. La notte di Natale scansavamo gli inviti di Mio Zio – «tanto noi non abbiamo bisogno di nessuno» – e la regola che valeva per la cena della vigilia si applicava a meraviglia anche al pranzo del giorno dopo.

Poiché a Capodanno il campionato di calcio tirava il fiato, occorreva escogitare un altro diversivo e papà ebbe l'illuminazione del viaggio in India. Da Nuova Delhi a Benares, la città santa, famosa per la scalinata sul Gange che ospitava i peggiori derelitti dell'umanità e col nostro arrivo avrebbe potuto finalmente considerarsi al completo.

Il Gruppo Vacanze era affollato di mamme. Ovunque risuonavano i loro ordini ansiosi a proposito di oggetti, animali e mendicanti da evitare. Papà le imitava come meglio poteva, ma non possedeva la loro vista né la loro costanza. Così io finivo per ritrovarmi sempre nei guai. Gli altri ragazzini mi avranno persino invidiato.

Vorrei aver trattenuto qualche frammento spirituale del pellegrinaggio di un vedovo e di un orfano nella terra più mistica del pianeta. Invece il mio album di viaggio si riduce a un campionario di umiliazioni profane.

Papà che offre da bere ai camerieri dell'albergo – è la notte di Capodanno – e una comitiva di indiani appartenenti alla casta più elevata abbandona la sala guardandoci male.

Papà che si arrampica su un elefante con un turbante rosa da finto maragià e io, per non morire d'imbarazzo, vado a nascondermi dietro la colonna di un tempio indù.

Un amico di papà che apostrofa in italo-francese un compatriota di Asterix che gli ha appena piantato la forchetta nel palmo della mano, durante l'assalto quotidiano al buffet: «Maleducaton d'un franceson. Je suis italien e me ne vant!»

Papà, ancora lui, sorpreso da me nel corridoio dell'albergo mentre sbaciucchia una signora del Gruppo Vacanze. Una biondastra con le gambette

rapprese in un paio di calze maculate che le guizza-
vano dalla gonna come pitoni.

Sul momento feci finta di niente. Però appena
tornammo in Italia gli scrissi una lettera di una ven-
tina di pagine, il cui succo era racchiuso nell'ultima
riga: «Se sposi un'altra mamma, io me ne vado di
casa».

Attesi una risposta che non arrivò. Ma la donna
pitone scomparve nella foresta per sempre.

POICHÉ LA REALTÀ SI ERA RIVELATA
UNA TIRANNA SANGUINARIA

XIII

Poiché la realtà si era rivelata una tiranna sanguinaria, chiesi asilo alla fantasia.

Con le mie radiocronache a voce alta intrattenevo i muri del salotto, sbatacchiandovi contro un fazzoletto blu a pois bianchi appartenuto alla mamma.

Il gesto produceva quel rumore secco – *tic tic* – con cui Mio Zio aveva battezzato il gioco. Era lui l'unico iniziato ai misteri insondabili che si consumavano al riparo della porta chiusa.

Appena impugnavo il fazzoletto miracoloso, sullo schermo eccitato della mia mente scorrevano le immagini di un calciatore che si chiamava come me e conciliava classe purissima e forza belluina. Dopo ogni gol il mio sosia sventolava le braccia verso un punto imprecisato delle tribune, dove una donna riconoscibile solo dai capelli biondi ricambiava l'omaggio con un applauso leggiadro.

Se in casa c'era qualcuno, e Mita c'era quasi sempre, abbassavo la voce oppure mettevo un disco per coprirla. Ma succedeva che lei aprisse la porta all'improvviso e mi sorprendesse con il volto paonazzo e il fazzoletto della mamma fra le mani.

«Tu sei matto! Lo dirò a tuo padre quando torna.»

Sudavo tantissimo. Di giorno e di notte, d'estate e d'inverno. Sudare era il mio modo di piangere.

Belfagor non sopportava le lacrime. Come tutti i mostri dell'anima, era convinto di agire per il mio bene. Non poteva darmi amore, ma poteva impedire al mondo di darmi dolore: sarebbe bastato non lasciarlo entrare. Detestava la verità e la sua missione era indicarmi una via di fuga dalle situazioni che contemplavano la possibilità di una sofferenza. Eppure non disperava ancora di rastrellare in giro qualche mancia d'affetto, stimolando i miei impulsi autodistruttivi allo scopo di attirare l'attenzione del prossimo.

La nevrosi più innocua – guardarmi di continuo le ginocchia – finì il giorno in cui indossai i primi pantaloni lunghi. Ma nel frattempo ne era affiorata un'altra, più pericolosa.

Durante l'infanzia avevo accolto con gioia ogni genere di bacilli. La mamma era un'infermiera comprensiva e non esisteva niente di meglio che restare a letto per settimane con delle pustole sulla faccia e la sua voce accanto, intenta a leggere fiabe e fischiettare canzoni. Ma da quando l'infermiera si era bruscamente licenziata, avevo intuito che non sarebbe più stata la stessa cosa nemmeno ammalarsi.

Così Belfagor mi inculcò il terrore che potesse

accadermi. Entrava in testa senza preavviso per sussurrare i suoi ordini perentori.

«Fai la tal cosa, altrimenti ti verrà una malattia.»

La cosa da fare non era mai la stessa. Fermarmi all'improvviso in mezzo alla strada per abbozzare due passi indietro e uno in diagonale. Rifilare un pizzicotto nel sedere a un passante e darmela a gambe. Spalmare la colla sul sedile dell'autobus. Colpire con una pallonata il quadretto della Madonna appeso nell'ufficio del preside.

In genere si trattava di lavori di precisione come questo. Le attività puramente vandaliche erano saltuarie e comunque seguite da pentimenti immediati: dopo che ebbi spalmato la colla sul sedile dell'autobus mi ci sedetti sopra io.

La situazione precipitò un giorno d'estate, al culmine di una scampagnata con Giorgio e Ginetta. Consumato il pranzo al sacco, papà si era steso sull'erba a russare. La sua nuca spelacchiata brillava a mezzo metro da un tronco d'albero.

Spaparanzato a distanza di sicurezza, mi gingillavo con un sasso appuntito quando Belfagor parlò.

«Devi farlo passare fra il tronco e la nuca di tuo padre. Altrimenti ti verrà una malattia, ma terribile.»

Tirai il sasso senza la serenità necessaria e centrai in pieno la nuca.

Papà risorse dal limbo degli appisolati e si scagliò contro di me come una bestiaccia ferita.

Mi inerpicai per una mulattiera, e lui dietro. A ogni balzo ansimavo disperato.

«Ma non capisci? Ho fallito la prova e adesso mi verrà una malattia!»

«Puoi giurarci che ti verrà! Lascia che ti prenda...»

Non mi lasciai prendere e la fobia delle malattie si attenuò. Sopraggiunse quella dei ladri. Ogni sera battevo la casa palmo a palmo per scoprire se si fossero intrufolati nei cassetti della biancheria o dentro la lavatrice. Ma forse più dei ladri cercavo la refurtiva. Qualcosa che mi era stato rubato.

Nel corso di un'ispezione notturna, la vista di uno scatolone nello studio di papà disseppellì un ricordo che risaliva alla prima infanzia, quando Madrina mi era venuta incontro con un punto interrogativo nello sguardo.

«Per caso hai visto la mamma? Non la trovo più.»

«Ma cosa dici? È in cucina.»

«Sei sicuro? Guarda che non c'è.»

L'avevo invocata in tutte le stanze, sempre più agitato e nervoso. Dopo averla cercata persino nel forno, mi ero spinto a violare il santuario inespugnabile, lo studio di papà, ma avevo trovato soltanto uno scatolone sotto la scrivania.

Allora avevo incominciato a piangere e la mamma era sbucata dallo scatolone per abbracciarmi.

«Ti abbiamo fatto uno scherzo!»

Mi ero arrabbiato tantissimo. I bambini sono persone serie, detestano gli scherzi stupidi. Sanno che prima o poi si avverano.

XIV

Dopo essere scampato all'attentato del sasso, papà decise di mandarmi dallo psicologo. In realtà era un medico generico che aveva studiato psicologia nel tempo libero. Per mio padre mandarmi da uno psicologo autentico avrebbe significato riconoscere che ero autenticamente matto.

Il dottor Frassino riempiva i suoi monologhi di pause snervanti e io uscivo da quelle sedute al rallentatore più isterico di come ne ero entrato. Non ricordo altro di lui, se non la sentenza che emise.

«Il carattere si forma nei primi tre anni di vita. Rimanere orfani a nove non produce scompensi indelebili, anche se enfatizza certe propensioni.»

Traduzione. Se il pargolo avesse perso la mamma appena nato, continuerebbe a tirare pietre al suo papà. Avendola perduta un po' più tardi, al massimo gliene appenderà una al collo.

Erano giorni in cui tutti si arrogavano il diritto di sapere chi fossi. Una specie di cruciverba che padre Teschio ci aveva spacciato per test attitudinale sancì che la scuola superiore più adatta alle mie caratteristiche sarebbe stata Ragioneria. Scoppiò a ridere persino mio padre.

Avevo bisogno di una fabbrica di buoni esempi

che mi illuminassero il cammino e la trovai nelle biografie. La mia passione per le vite degli altri è sempre dipesa dal desiderio inconsapevole di scoprire come fossero riusciti a sopravvivere al primo impatto con il dolore.

Volevo essere rassicurato sulla mia ossessione: che la ferita dell'infanzia non mi avesse segnato l'esistenza in modo inesorabile. In quel periodo lessi che il Buddha e un padrino della mafia erano rimasti entrambi orfani di madre da bambini. Eppure avevano preso strade diverse, in seguito. Forse ne avrei trovata una intermedia anch'io.

Mi sarei accontentato di tenere i piedi per terra. Invece camminavo sulle punte come un elfo. Le mie suole erano consumate soltanto sul davanti e i talloni fluttuavano a mezz'aria senza combinare niente di utile.

Camminavo sulle punte e le guardavo di continuo, perché non ero capace di alzare gli occhi al cielo.

Avevo le mie ragioni. Il cielo mi faceva paura. E anche la terra.

Mio Zio mi diede un consiglio sensato: mentre cammini, solleva il mento come se dovessi tendere un filo da lì all'ombelico.

Ci provai, sul serio. Ma andai a sbattere contro un palo.

In fondo la mia vita è la storia dei tentativi che

ho fatto di tenere i piedi per terra senza smettere di alzare gli occhi al cielo.

Nonostante la falcata da elfo, ero un discreto calciatore da cortile. In certi pomeriggi d'estate mi incontravo con gli altri portatori di brufoli dell'isolato nel parcheggio di una fabbrica di ricambi per auto.

Ci si divideva fra tifosi del Toro e della Juve, tirando a sorte l'ingaggio dell'unico interista. Aveva qualche anno più di noi e di testa le prendeva tutte.

Erano derby giocati allo spasimo e quasi sempre interrotti da cause di forza maggiore: un operaio che ci sequestrava la palla perché gli avevamo bollato la macchina, una vecchia allergica al rumore che si affacciava dal balcone per innaffiarci con secchiate d'acqua gelida.

Una sera in cui me ne tornavo a casa da solo dopo una sfida memorabile – sospesa sul 15 a 15 per sequestro di pallone – fui circondato da una banda di teppisti a cavallo dei loro motorini. Erano tanti, e tutti più grossi di me.

«Cos'hai fatto a mia sorella?» si informò il teppista capo, strattonandomi la maglietta sudata.

«Io?»

«Tu, stronzetto. Cosa le hai fatto, eh?»

«Mi confondi con un altro. Non conosco tua sorella. E neanche te.»

Un laccio nero fluttuò nell'aria e si tramutò in dolore. Credo che mi avessero colpito con una catena.

Caddi sul marciapiede e i motorini iniziarono una gimkana assurda, disegnando intorno al mio corpo cerchi sempre più stretti.

«Volete i soldi? Teneteveli!»

Lanciai per aria il mio portamonete, ma solo dopo averlo fatto mi ricordai che era vuoto.

Il teppista capo non la prese benissimo.

«Allora mia sorella ha ragione: sei proprio uno stronzetto.»

Stronzetto e sorella. Aveva soltanto quei due concetti nella zucca e non c'era verso di allargare il campo della conversazione.

Il suo motorino stava per salirmi sulle gambe quando un tizio vestito di grigio attraversò la strada. Con un colpo di reni risorsi dall'asfalto e gli corsi incontro.

«Aiuto, vogliono uccidermi! La prego, mi accompagni a casa. Abito qui vicino.»

Il tizio vestito di grigio mi prese per mano e incominciammo a camminare, tallonati dallo sciame di motorini: il capo della banda aveva letto la viltà nel cuore di quell'uomo.

«Sgomma, amico, e lasciaci dare una lezione a questo stronzetto. Ha fatto del male a mia sorella.»

«Non li ascolti, signore!» lo imploravo.

«Cosa le hai fatto esattamente?»

Adesso i teppisti gli sputavano addosso. Abbozzò ancora qualche passo e poi staccò la sua mano dalla mia.

«Scusami, ma ho un figlio anch'io... ho un figlio anch'io...»

La sua fuga fu talmente squallida che agli aguzzini passò la voglia di molestarmi. Con uno scatto da topo riuscii a mettermi in salvo dentro una panetteria.

Dimenticai in fretta le loro facce. Invece quella del tizio vestito di grigio visitò a lungo i miei incubi, insieme con una domanda inevasa. Perché tutti quanti, mamme o sconosciuti che fossero, nel momento del bisogno mi lasciavano solo?

La rete di bugie in cui mi districavo per nascondere al mondo la mia infermità esistenziale diventava sempre più fitta. Finché in quel garbuglio di fili marci fece capolino una luce.

Successe la mattina del mio tredicesimo compleanno, quando sul comodino accanto al copriletto a rombi trovai un disco di Barry White in confezione regalo.

«Te lo manda Sveva» disse papà.

«Chi è Sveva?»

«Una mia collega.»

«Porta calze color pitone?»

«No, che io ricordi.»

«E perché mi ha regalato Barry White? Non so nemmeno chi sia.»

«È una mia collega, ti ho detto.»

«Parlavo di Barry White.»

«Non lo sa nemmeno lei. Si è fatta consigliare dal commesso del negozio.»

«E lei a te chi l'ha consigliata?»

«Scherzi o fai sul serio?»

«Scherzo sul serio.»

«Mah... Il tuo umorismo da pesce lesso proprio non lo capisco.»

A papà piacevano le barzellette. Ci sono un tedesco, un francese e un italiano... Era bravo a raccontarle. D'estate al mare ridevano tutti: tedeschi, francesi e italiani. Tutti tranne me. Anche se contestavo la sua autorità, mi vergognavo di lui quando se ne spogliava per indossare i panni del buffone.

A Sveva piacevano le barzellette di papà. E papà. Ma non le dispiacevo neppure io.

Venne in perlustrazione a casa nostra e lo sguardo di ostilità che scambiò con Mita le fece guadagnare molti più punti del disco di Barry White.

Mesi dopo, era estate, scendemmo insieme a mangiare un gelato. Noi due e basta. Al primo incrocio mi prese la mano per attraversare, ma io mi irrigidii. Non ero più abituato a quel genere di contatti.

«Hai paura di volermi bene?» disse Sveva, dandomi un bacio sulla guancia.

Un bacio. A me.

«Tu baci come una mamma» risposi.

«Io non sarò mai la tua mamma. Ma mi sarebbe tanto piaciuto conoscerla.»

« Sareste diventate amiche. Però non credo che ti avrebbe lasciato baciare anche papà. »

Ci mettemmo a ridere che non la finivamo più.

XV

Sveva amava un figlio già grande che aveva cresciuto da sola dopo la morte del marito. Neanche per lei sarei mai stato il primo della lista.

Nonostante questo contrattempo, la nostra alleanza produsse risultati considerevoli. Convincemmo papà a spedire Mita in pensione e me al liceo classico, infischiandocene dei test di padre Teschio.

Rimasi nello stesso istituto, ma con il famoso Discorso del Fegatino assunsi solennemente l'impegno di migliorare il mio profitto, a patto di venire dispensato dal doposcuola e dalla mensa per buongustai.

D'incanto mi ritrovai padrone della mia stanza e dei miei pomeriggi, che dividevo fra il vocabolario di greco e lo sfogatoio del *tic tic*.

Avevo introdotto una variante al gioco. Non ero più un campione di calcio, ma una stella del rock. Mettevo sul giradischi un album dei Genesis, che contendevano ai Pink Floyd la palma di mio complesso preferito, afferravo il fazzoletto magico e mi trasformavo nel loro cantante Peter Gabriel.

La mia testa era sempre in tournée. Mi esibivo davanti a milioni di persone e, scovata fra il pubblico quella che mi interessava, sussurravo nel fazzoletto-microfono: «La prossima canzone è per te...»

Allora nella mente cominciavano a scorrere le immagini del mio alter ego vestito di luce che passeggiava sul palco intonando *The Carpet Crawlers*. Non capivo bene il testo, ma la voce e la musica parlavano da sé.

Con il Toro vinsi addirittura lo scudetto. Successe una domenica di maggio e io ero lì, in compagnia di altri settantamila, quando il nostro Graziani scarabocchiò la palla sulle scarpe di un difensore del Cesena.

Nessuna persona normale si sarebbe mai tuffata fra le scarpe di un difensore del Cesena. Soltanto un angelo imparentato con un eroe. Per fortuna il mio Pulici era quell'angelo.

Aveva esordito in serie A nello stesso anno in cui si era ritirata la mamma. Un pinocchio magro con certi occhi spauriti. Correva talmente veloce che arrivava nei posti prima della palla. Ma, anche quando la incontrava, finiva sempre per spararla in cima alle nuvole o contro i cartelloni della pubblicità.

Papà diceva che avrebbero dovuto rifargli la convergenza ai piedi. Qualcuno spifferò l'informazione all'allenatore, perché quello dalla sera alla mattina sbatté il mio Pulici contro un muro. A rifare la convergenza.

Di lui si dimenticarono tutti, tranne i bambini. Mentre i grandi guardavano l'allenamento dei titolari, noi andavamo a stringerci intorno allo spiazzo dove il pinocchio magro giocava da solo contro il muro.

Una volta il muro si arrabbiò e gli restituì la palla sul naso. Il mio Pulici cadde in ginocchio e si coprì la faccia con le mani, come se avesse voluto piangere, ma di nascosto.

Allora mi feci coraggio e gli urlai: « Non mollare, Pulici! »

Non credo mi abbia sentito. A Torino urliamo pianissimo, è una delle nostre specialità. Però da quel giorno i suoi tiri cominciarono a diventare sempre più precisi e i suoi muscoli sempre più possenti. Finché una domenica l'allenatore pensò bene di rimetterlo in squadra a Cagliari senza dirmi niente.

Non ero potuto andare in trasferta perché papà era a letto con l'influenza, ma quando la radio disse che il Toro era passato in vantaggio con un suo gol spalancai la finestra del salotto e urlai: « Non mollare, Pulici! »

Ero così contento che a momenti cascavo giù.

Da allora non aveva più smesso di segnare. Ma ogni sua prodezza era stata solo una lunga anteprima, in attesa di quella domenica di maggio in cui il nostro Graziani avrebbe scarabocchiato la palla sulle scarpe di un difensore del Cesena.

L'angelo precipitò sulla Terra come se gli fosse caduto qualcosa che da troppo tempo aspettava di essere raccolto. Appoggiò la fronte fra le stringhe del difensore e la palla, da morta che era, riprese a volare fino a concludere il suo viaggio in fondo alla rete.

Aprii la bocca per gridare, ma non uscì niente. Il mio Pulici stava correndo verso di me a braccia tese e pugni chiusi. Guardai le bandiere granata sollevarsi come tappeti volanti e poi il cielo. Si erano affacciati tutti: Gigi Meroni e Quelli Là, con degli striscioni da paura. Dietro di loro, appena un po' scostata, una donna riconoscibile solo dai capelli biondi partecipava alla baldoria con un applauso leggiadro.

Mi sentivo felice come un deficiente. Dopo troppe immersioni negli abissi, avevo finalmente voglia di scivolare sulla superficie della vita, alimentandomi dell'illusione di essere simile agli altri.

Belfagor avrebbe avuto qualcosa da ridire, ma era meno assillante di un tempo. Forse stava diventando un deficiente anche lui.

Restava il problema dello spazio vuoto nel presepe di famiglia. Sveva abitava col figlio e tutte le sere io e papà li raggiungevamo per cenare insieme. D'inverno era uno strazio addormentarsi davanti alla tivù in un tinello altrui e poi rientrare a casa nel fondo gelido della notte.

Da noi non veniva mai nessuno. Meno che mai i compagni di scuola. Non volevo si accorgessero che il mio appartamento era più piccolo dei loro e totalmente sprovvisto di madri. Ma esisteva sempre il rischio che qualcuno citofonasse all'improvviso.

Perciò avevo tolto la fotografia della mamma dallo scaffale. La tenevo al sicuro nell'ultimo cassetto, sotto una pila di riviste musicali.

Una sera d'inverno, mentre fuori scendeva la neve, papà mi convocò nel suo studio.

« Che fine ha fatto la foto? »

Cercò i miei occhi senza trovarli.

« Quale foto? »

« La gemella di quella. »

Indicò l'immagine della mamma che troneggiava dietro la vetrata della libreria come uno spartitraffico, in mezzo a un ingorgo di biografie napoleoniche.

« Non ricordo dove l'ho messa. »

« Ti vergogni di tua madre? »

Rimasi zitto per un tempo che non saprei calcolare, ma sicuramente inferiore ai sette anni durante i quali lui era rimasto zitto con me. Poi dissi: « Raccontami di quando è morta ».

XVI

Alla vigilia dell'estate la mamma aveva scoperto di avere un cancro. Era stata operata troppo tardi: il male l'aveva già invasa.

Nei mesi in cui ero convinto che non ci amasse più, aveva consumato il suo corpo nelle sedute di radioterapia, sforzandosi di non lasciar trasparire nessun particolare che potesse spaventarmi. Era sempre triste, ma non per lei. Per noi. Non voleva abbandonarci.

All'alba dell'ultimo dell'anno, mio padre si era svegliato di soprassalto e l'aveva trovata nella mia stanza, seduta sul letto. Mi stava rimboccando le coperte.

Lei lo aveva tranquillizzato: torna a dormire, io resto ancora un po' qui. L'ultima immagine che aveva della mamma era la sua testa china sopra di me, mentre fuori scendeva la neve.

Probabilmente si era sentita male nella mia camera. Un'oppressione violenta l'avrà indotta a togliersi la vestaglia. Aveva attraversato il corridoio per raggiungere il divano del salotto, ma non c'era mai arrivata.

Lui si era risvegliato quasi subito, come per un

presentimento, e aveva trovato il suo corpo raggomitolato sul tappeto.

L'illusione che fosse ancora viva era svanita con l'arrivo dell'ambulanza e il responso dei medici del pronto soccorso: infarto fulminante.

La mamma era sempre stata debole di cuore e le cure, unite ai progressi del male, avevano demolito le difese dell'organismo. Ma aveva combattuto fino all'ultimo pur di non lasciarci soli.

«Non devi certo vergognarti di una madre simile» concluse mio padre.

Mi avvicinai alla finestra e guardai lo stadio imbiancato sotto di me.

Forse aveva fatto in tempo a vedere la neve. In quell'alba di morte ce n'era stata ovunque: come in cielo così in terra.

Chissà se le piaceva, la neve. Non lo sapevo. Non sapevo niente di lei. La condizione ideale per trasformarla in un mito.

XVII

La mamma divenne il mio angelo senza macchia e senza paura. Il diavolo era la madre di un riccastro della scuola. La trovavo sempre all'uscita dall'istituto, appoggiata con studiata noncuranza al portellone della sua jeep. Capelli tinti di biondo, labbra aggressive e jeans aderenti che scomparivano dentro gli stivali a punta, neri come gli occhiali da cattiva.

Ebbi una specie di incubo. Mi svegliavo all'alba durante le vacanze di Natale e scoprivo che la mia stanza era stata chiusa a chiave dall'esterno. Attraverso la toppa riuscivo a scorgere un trono in corridoio e sopra lei: la bionda della jeep. Aveva dichiarato guerra alla mamma e l'aveva uccisa, invadendoci casa.

Due sconosciuti trascinavano papà al suo cospetto, reggendolo per le ascelle. Dalla bocca della bionda usciva una voce algida.

«Dammi la chiave della stanza del bambino, oppure ammazzerò anche te.»

A quel punto appariva Mita con le gengive sguainate e una chiave nel pugno.

«Ho qui la copia, contessa!»

La bionda si alzava dal trono e avanzava verso la mia stanza.

Con un balzo mi infilavo nel Sottomarino e spiavo la porta attraverso lo spiraglio delle lenzuola.

Ecco, si apriva, e sulla soglia comparivano uno stivale nero a punta e... il sorriso rassicurante della mamma con il vassoio della merenda.

Lo stesso sorriso della fotografia che avevo tenuto nascosta nel cassetto.

Adesso il suo ritratto troneggiava fra i poster del mio Pulici e di Peter Gabriel. Mi rammaricavo che non avesse il dono della parola, altrimenti le avrei chiesto qualche consiglio su uno spettacolo incomprensibile che cominciava a intrigarmi più dei Genesis e persino del Toro. Le ragazze.

Nei miei anni di bambino felice, quando la vita sembrava ancora una pasticceria e io ero circondato dalle donne meglio di un playboy, l'universo femminile non aveva segreti per me.

La prima storia d'amore arrivò d'estate, in un albergo di montagna. Lei portava le trecce e si chiamava Cristina. Aveva sette anni e uno spasimante di dieci, l'anziano Antonello.

Un giorno Cristina mi era corsa incontro con voce frignante: Antonello l'aveva fatta cadere dall'altalena.

Io per punirlo lo avevo preso a testate nella pancia – era troppo alto perché gli arrivassi oltre – e lui aveva ricambiato la gentilezza pestandomi meticolosamente come una zampogna. Ma il dolore più terribile era stato vedere Cristina e Antonello di nuovo insieme sull'altalena. A ripensarci, non è che avessi capito molto dell'universo femminile neanche allora.

Però c'era la mamma e la ferita all'amor proprio venne riassorbita in fretta. Dopo una settimana di altalene infuocate, fra Cristina e Antonello sopraggiunse una crisi irreversibile.

La notte del primo uomo sulla luna, Cristina irruppe nella sala della televisione, passò oltre la poltrona su cui era seduto Antonello, neanche lui ne fosse stato la federa, e venne a parlare con me.

«Andiamo fuori a vedere la luna?»

«La luna è qui!» eccepì la madre di Antonello, riferendosi allo schermo solcato da immagini lattiginose.

A parte che Cristina lo aveva chiesto a me e non a suo figlio, ma come si poteva preferire un televisore al cielo?

La mamma sembrò avermi letto nel pensiero.

«Vai pure, però infilati il maglione.»

Mi strizzò in uno dei suoi famosissimi abbracci.

«Fai bei sogni. Anzi, fateli insieme. Insieme valgono di più.»

Io e Cristina ci sdraiammo sul prato dell'albergo con la testa all'insù. La luna splendeva di tre quarti in mezzo a una corona di stelle ed era molto più vicina che dentro il televisore.

Le indicai una macchia al centro della scorza rugosa.

«Guarda, l'astronave!»

« Non è l'astronave. Quello è Arrosto » replicò lei con una smorfia di disgusto per la mia ignoranza.

« Sai tenere un segreto? » continuò a sussurri. « La mamma mi ha raccontato che tantissimo tempo fa sulla luna c'è già stato un italiano. Un certo Arrosto, a cavallo di un ipposchifo. »

« Tua mamma non sa proprio niente. La mia mi ha spiegato che sulla luna abita Giovannino l'accalappianasi. »

« Lallacappiaché? »

« È un signore che, appena dici una bugia, ti ruba il naso e lo porta lassù. »

« E perché? » trasalì Cristina, toccandosi il suo per sincerarsi che fosse ancora al proprio posto.

« Per mangiarlo, no? Il mio se lo sarà già pappato una decina di volte. »

Credevo di averla tranquillizzata. Invece lanciò un urlo. Sulla superficie della luna era apparsa una seconda macchia.

« Giovannino si sta avvicinando ad Arrosto per mangiargli il naso! » disse.

« Te l'avevo detto che la storia dell'ipposchifo era una bugia. »

« Zitto! »

Mi afferrò una mano, facendomi sentire un po' strano.

Dalle finestre socchiuse dell'albergo giungevano le voci dei telecronisti che si litigavano il momento dell'allunaggio.

« Ha toccato! » – « Non ha toccato! »

Cristina scosse la testa.

«Povero Arrosto! Quando gli astronauti scenderanno, Giovannino gli avrà già mangiato il naso.»

«Non preoccuparti. Tanto poi gli ricresce.»

È che mi è sempre piaciuto il lieto fine.

XVIII

Dai tempi della luna avevo fatto solo passi indietro. Mi muovevo cupo e impacciato su un palcoscenico sovrappopolato di maschi e stavo entrando nella stagione degli amori senza avere alcuna dimestichezza con il femminile.

Il contributo di papà consistette nel rispedirmi dal finto psicologo. Il dottor Frassino mi chiese di abbassare le mutande e controllò le dimensioni del pene per sincerarsi che il trauma infantile non lo avesse rattrappito.

Tutto nella norma, disse, ti darà delle soddisfazioni. Fine del corso di educazione sessuale. Quella sentimentale era affidata alle massime di padre Nico: «In un cavallo la donna vede soltanto il cavallo. L'uomo la cavallinità».

Padre Nico era il professore di greco, di latino, di religione, di tutto. Considerava le donne un elemento decorativo, come i ghirigori di panna sopra le torte. Sosteneva che prima di sposare le nostre fidanzate avremmo dovuto far scrivere loro un tema, anche se non era chiaro chi lo avrebbe poi dovuto correggere: probabilmente lui.

Fosse nato nel Medioevo, sarebbe stato un templare. Si accontentava di incarnare la versione cattolica del superuomo. Dormiva tre ore per notte e leggeva sempre, anche mentre mangiava, anche mentre camminava, coltivando ossessioni implacabili.

«Io sono per la massima libertà di scelta. Se siete di destra, votate un democristiano di destra. Se siete di sinistra, un democristiano di sinistra. L'importante è che votiate un democristiano: contro il divorzio e contro l'aborto.»

L'anno della maturità, alla vigilia del nostro primo voto, organizzammo un test elettorale in classe e ne riportammo i risultati sulla lavagna.

Quando padre Nico lesse che il PR aveva raccolto la quasi unanimità dei consensi, ci tenne un discorso molto accorato. Condivideva le posizioni del Partito Repubblicano in economia, ma si trattava pur sempre di un movimento laico ed era suo dovere metterci in guardia contro i rischi di una deriva in campo etico. Nessuno ebbe il cuore di rivelargli che PR stava per Partito Radicale, la fabbrica di mangiapreti che secondo lui era la prova inconfutabile dell'esistenza del diavolo.

Per non sottrarre tempo alle lezioni ci interrogava fra le sette e le otto del mattino. Io amavo il greco, danza di dei, e soffrivo il latino, marcia di soldati. Nutrivo un trasporto autentico per Omero, nonostante mi avesse tirato lo scherzetto di Polifemo, mentre consideravo Virgilio un poeta di corte sopravvalutato.

Alle sette di un mattino d'inverno padre Nico mi

interrogò sul libro VIII dell'*Eneide*, che mi ero fatto un merito di non sgualcire. Le pagine erano ancora attaccate e dovetti aprirmi un varco con le dita, usandole di traverso come tagliacarte.

« Traduci dal verso 26. *Nox erat et terras animalia fessa per omnis.* »

« *Nox erat...* Era notte... »

« Vai avanti » e sputacchiò un pezzo d'unghia. Aveva il vizio di mordersi le unghie e disseminarle nei paraggi.

« *Era notte...* Ma che razza di verso è? »

« Come dice Orazio? *Quandoque bonus dormitat Homerus.* Ogni tanto anche Omero sonnecchia. »

« Lasci stare Omero, padre. Altra categoria. Virgilio non si limita a sonnecchiare. Russa e scatarra.... *Era notte* avrebbe potuto scriverlo un gladiatore analfabeta. O l'ufficio meteorologico dell'Aeronautica. »

« Vai avanti con la traduzione! »

« Vuol spiegarmi perché Dante nella *Divina Commedia* ha scelto come guida Virgilio anziché Omero? Omero era cieco, mi dirà. Ma restavano pur sempre Platone, Eschilo, Sofocle, Euripide... »

« È una teoria ardita, comunque interessante. Ti regalerò mezzo voto: 2 e mezzo invece di 2. »

« Tutto perché non mi è piaciuto un verso di Virgilio? »

« No. Perché non ti sei neanche preso la briga di leggere quelli successivi e hai montato ad arte una polemica nella speranza che io mi dimenticassi di chiederteli. »

Assunsi la mia classica postura da matto (pugni chiusi, occhi strabuzzati, labbra in fuori) e saltai dalla predella inseguito da una sua unghia.

« Torna qui! » gridò padre Nico.

« So che da piccolo la vita ti ha toccato duramente » aggiunse a voce più bassa.

« Ah, sì? E chi gliel'ha detto? »

Non io di sicuro, visto che continuavo ad alimentare la leggenda della piazzista di cosmetici indiani.

« Tu credi di renderle la pariglia rifiutandoti di crescere. Ma così danneggi solo te stesso. Sei sempre aggressivo e polemico. »

« Se ogni tanto qualcuno facesse il tifo per me e non solo per Virgilio... »

« Ma bravo, ci siamo già precostituiti l'alibi! La povera vittima osteggiata da un mondo che gli vuole male. »

« Non è un alibi. Se io... »

« I *se* sono il marchio dei falliti! Nella vita si diventa grandi *nonostante*. »

Comunque mi alzò ancora un po' il voto: 3 meno meno.

In quel frusciar di tonache l'unica forma di vita assimilabile a una femmina era la figlia di un collega di papà che mi dava ripetizioni di disegno (ero rimasto fermo ai grappoli giganti). Aveva una collezione sterminata di minigonne e calze nere. Mi chinavo di continuo a far finta di allacciarmi le scarpe per sbirciarle le gambe sotto la scrivania. Scomparve il giorno in cui si accorse che portavo i mocassini.

Nella mia fantasia vagheggiavo una sorella ideale in minigonna e calze nere che avrebbe alleviato la mia solitudine. Ma forse non era una sorella. Era una fidanzata. O una mamma. O tutte e tre. Non capivo perché certi miei compagni litigassero continuamente con le loro. Avrebbero fatto meglio a prestarmele.

Non esisteva nemmeno una vicina di banco a cui scrivere poesie e contemplare il seno di nascosto. Bisognava accontentarsi di quel che passava il convento, inteso come la scuola femminile all'angolo dell'isolato. Un'accozzaglia di acque chete che peccavano macerandosi. «Non fare così perché mi piace» era il mugugno con cui si concedevano all'abbraccio di qualche ragazzo più grande. Ma a me dicevano soltanto «Sei proprio dolce...», il segnale di divieto di transito.

Durante l'adolescenza dividevo le ragazze in madonne irraggiungibili e crocerossine spremibili. Le madonne non si seducono. Si venerano. E io le veneravo col cuore morsicato dalla loro indifferenza. Ma appena manifestavano qualche interesse per me, smettevano di interessarmi.

Pur di prevenire l'ansia di un possibile abbandono mi lasciavo andare soltanto con quelle su cui credevo di esercitare un controllo. La mia specialità era il discorso di disimpegno.

«Mi ami?» chiedevano. Io contavo fino a 11 (il numero di maglia del mio Pulici) e poi abbozzavo risposte attendiste: a) non so; b) ho paura; c) ho paura che non lo so.

Una carogna, a ripensarci. E della categoria peggiore, le carogne inconsapevoli.

Ma ero davvero così? O è la memoria ad aver manipolato i ricordi per confezionarmi un autoritratto di comodo? È meno umiliante assegnarsi la patente di carogna – inconsapevole, poi! – che quella di vigliacco.

Al matrimonio del figlio di Sveva compresi che non tutti gli orfani erano uguali. Chi da piccolo aveva perso il padre, come lui, era a suo agio fra le donne. Non si innamorava mai fino in fondo perché nessuna delle pretendenti poteva rivaleggiare con la supermamma, ma questo intoppo si traduceva in un elemento ulteriore di fascino.

Un orfano di madre era meno attraente. Non aveva l'aura del titano solitario. Semmai del pulcino bagnato.

Ora che ci penso, non ne ho mai frequentati. L'incontro con altri iscritti allo stesso club avrebbe offuscato la mia presunzione di essere unico.

Per attutirmi l'impatto col mondo reale Belfagor aveva foderato di ovatta i miei sensi. Niente mi appassionava, neanche la trasgressione. Non mi ubriacavo, non mi drogavo e non fumavo spinelli, al massimo qualche sigaretta a stomaco vuoto. Non amavo gli sport estremi e gli orari sballati: ho visto più albe al risveglio che andando a dormire. Non ero né di destra né di sinistra, ma liberaldemocratico, che a diciotto anni è come preferire il chinotto al Cuba libre.

Le utopie politiche mi procuravano angoscia al pari delle emozioni, dei sogni, di tutto. Anche della mamma. L'adorazione svanì e sopraggiunse la noncuranza. La sua foto non venne più nascosta. Semplicemente dimenticata.

Il mio spirito fluttuava ai livelli più bassi. Non credevo in nulla, se non in qualche canzone. Lo studio dei filosofi materialisti e l'eccessiva esposizione ai preti avevano plasmato un ateo irridente. Dio era un'invenzione dell'uomo. La morte era la fine di tutto.

Risi in faccia al sacerdote che il primo mercoledì di Quaresima mi impose le ceneri sulla fronte. Sapevo fin troppo bene che sarei tornato a essere polvere e che nulla era restato di mia madre, se non la polvere.

OGNI RAGAZZO HA UNA FUGA
DENTRO IL CUORE

XIX

Ogni ragazzo ha una fuga dentro il cuore e il sistema più sicuro che conosce per scappare da se stesso è invaghirsi di chi non fa per lui.

All'università incontrai l'altissima, bellissima, narcisissima Alessia. La signorina Prime Volte.

La prima volta in cui accettai il rischio di farmi dire di no (invece il sì arrivò senza che avessi ancora finito la domanda). La prima volta in cui riuscii a sganciare un reggiseno con un unico, armonioso movimento del polso. La prima volta in cui feci l'amore. Come spesso capita non fu un'esperienza memorabile: Alessia sembrava soprattutto preoccupata di rovinarsi il trucco e io mi sentivo un ladro che apre finalmente la cassaforte e la trova vuota.

Divenuta la mia fidanzata, aveva continuato a circondarsi di una corte di adoratori muti che teneva in uno stato di ambiguità permanente, giocando con le loro illusioni per la smania di vedersi riconfermare di continuo il suo fascino. Apparteneva alla schiera di persone emotivamente pericolose che si compiacciono del proprio egoismo spacciandolo per sensibilità.

Ero l'ultimo che potesse ergersi a suo precettore morale. «Fai bei sogni» si era raccomandata la mamma. E invece io li stavo imbruttendo uno dopo l'altro.

Mi sarebbe piaciuto iscrivermi a Lettere o a Scienze politiche per tentare l'avventura del giornalismo, ma mio padre non aveva mai smesso di coltivare certi suoi progetti napoleonici. Mi vedeva laureato in Economia e poi condottiero d'impresa.

Non difesi il mio sogno, per la semplice ragione che non lo ascoltavo più. I sogni sono radicati nell'anima e la mia era fuori servizio.

Trovammo un compromesso che scontentasse entrambi e fosse quindi accettabile. La facoltà di Legge.

«Se fallirai in tutto il resto, potrai almeno fare l'avvocato come immaginava tua madre» riassunse papà col suo pragmatismo.

Ma la responsabilità di quell'errore fu soltanto mia. Avevo scelto l'università e la ragazza sbagliate per timore di inseguire i miei sogni. Era scontato che andassi a sbattere.

Quando Alessia mi lasciò per telefono, un minuto dopo avermi ribadito che mi amava, le difese crollarono e Belfagor si impadronì del mio cervello.

Esauriti i tentativi patetici di riconquistarla, smisi di frequentare l'università, abbassai le serrande e mi barricai in camera.

Non so se in amore vince chi fugge, ma di sicuro chi perde rimane dov'è: immobile. Stavo seduto per ore alla scrivania con il solo conforto delle canzoni dei Police e di una stecca di Camel Lights (in quel Lights c'era tutta la mia vigliaccheria).

Imbevuto della poca psicanalisi studiata per l'esame di Antropologia criminale, compilai un dossier sterminato su me stesso, nel quale mi certificavo con linguaggio arido, in terza persona, alcune supposte verità.

Nel capitolo intitolato Diagnosi scrivevo: «Poiché il trauma determinato dalla morte della madre ha deviato il Vero Sé del soggetto, qualsiasi cosa egli faccia, pensi e dica non appartiene a lui, bensì alla personalità distonica che gli è cresciuta addosso negli anni. Una sorta di intruso esistenziale».

Ma in che modo «il soggetto» avrebbe potuto recuperare il Vero Sé? Di questo si occupava il capitolo intitolato Prognosi, dove le parole più usate erano «occorre» e «si deve» come nei comizi dei politici.

«Occorre disattivare il cervello e i sensi, inevitabilmente compromessi. Si deve liberare l'istinto, unico elemento strutturale non intaccato dal trauma.»

Si profilavano problemi non semplici. Chi poteva mettermi in contatto con l'«elemento strutturale» se non il cervello e i sensi, ormai ridotti a catorci inservibili? E, soprattutto, chi mi garantiva che a ispirare la scrittura del dossier fosse il Vero Me e non «l'intruso esistenziale»?

Le obiezioni spinsero la mia autoanalisi a un punto morto da cui non si disincagliò per settimane. L'illuminazione giunse una domenica mattina, mentre cambiavo aria alla stanza intrisa di fumo: per tornare me stesso avrei dovuto cambiare aria anch'io.

Niente macchine o treni, si sarebbe trattato di un viaggio interiore. Avrei azzerato la mia vita, riportando le lancette dell'orologio al mattino in cui mi ero risvegliato orfano. Stabilii l'orario di inizio del nuovo corso: le 11.11 del giorno successivo. Ma le 11.11 mi sorpresero al gabinetto, non proprio il contesto ideale per una cerimonia di iniziazione.

Belfagor concesse al Vero Me altre ventiquattr'ore di tregua, che divennero quarantotto e poi settantadue. Mi ero incartato.

Dopo supplementi ulteriori di reclusione e di delirio, una sera spalancai esultante la porta della mia stanza per comunicare a Sveva, la sola persona con cui mantenessi un simulacro di rapporto umano, che avevo finalmente trovato la soluzione. Per rintracciare il Vero Me avrei dovuto ripristinare l'equilibrio alterato dalla morte della mamma, riportando in vita con l'immaginazione anche lei.

Se solo ne fossi stato capace, avrei provato a disegnarla, rinunciando per una volta a metterle in mano degli acini. Mi accontentai di aggiornare la sua carta d'identità.

Avrebbe avuto cinquantasei anni. Ben portati, anche se mi piaceva pensarla lievemente sovrappeso: era troppo ghiotta di dolci.

Ma con quale voce mi avrebbe parlato? La sua non la ricordavo più. Di che colore sarebbero stati adesso i suoi capelli biondi, di cui la mia memoria aveva smarrito il profumo? E come sarebbe stata vestita? Ancora con gli stessi tailleur di quando mi rifugiavo nel suo armadio per giocare a nascondino?

Mi dibattevo in una gabbia mentale, preludio di follia.

Un giorno mi spinsi fino al pianerottolo e vi trovai Palmira, ormai vedova di Tiglio, circondata dalle borse della spesa. Squadrò le mie occhiaie, la barba a sprazzi e i capelli già diradati sulla nuca. Superando un ribrezzo giustificabile, mi diede una carezza.

«Non sei più quel che eri, bambìn. Hai preso freddo. Ogni tanto penso al calduccio in cui saresti cresciuto, se ci fosse stata la tua cara mamma...»

«I *se* sono il marchio dei falliti. Nella vita si diventa grandi *nonostante*.»

Mi ero difeso col manuale da superuomo di padre Nico. Ma ormai avevo l'anima all'obitorio: lo diceva anche Palmira.

Le sue parole mi rimbombavano dentro la testa. Le sentii scendere nella pancia, galleggiare in una pozza acida e da lì tentare una risalita fino al cuore.

Non era facile superare lo sbarramento di Belfagor. Eppure mi giunse l'eco di una voce.

«*Se* fossi cresciuto con la tua mamma, adesso avresti meno paura di cadere. Ma avresti anche meno bisogno di volare. *Nonostante* lei non ci sia più, è tempo che incominci a sbattere le ali.»

XX

Di punto in bianco non mi importò più di essere il Vero Me. Mi sarebbe bastato diventare qualcuno. Meglio se qualcun altro.

Dovevo agire, però. I mostri del cuore si alimentano con l'inazione. Non sono le sconfitte a ingrandirli, ma le rinunce.

Uscii di prigione e mi riaffacciai all'università con un trenta e lode in Procedura penale. Mancavano sei esami alla laurea e per completare la rimonta chiesi aiuto ai vecchi compagni. Ma erano già alla vigilia della tesi, non potevano tornare indietro a prendermi.

Mi barricai di nuovo in casa, compilando programmi di studio che aggiornavo di ora in ora. Ma il lavoro solitario su materie così lontane dai miei interessi mi ricordava di continuo come la mia vita fosse diventata una conseguenza inesorabile di scelte difensive.

Avevo bisogno di evadere e proposi a Mio Zio di assumermi nella sua azienda. Lui non aspettava altro, ma se lo aspettava dopo: prima mi sarei dovuto laureare. Apparteneva all'ultima generazione di nostalgici della cultura. A Natale gli regalavo libri di filosofi astrusi che sbranava con una fame disordinata e struggente di sapere.

Cercai una distrazione negli amici del sabato sera, ma neanche loro si rivelarono all'altezza, o alla bassezza, del compito. A quei tempi frequentavo un gruppo di studenti di Ingegneria. Giovani maschi solidi e concreti che etichettavano i miei tormenti interiori come fisime e mi presentavano brave ragazze dimenticabili.

Non sapevano neanche che fossi orfano. O comunque non lo sapevano da me: mi ero sempre rifiutato di entrare in argomento e la presenza di Sveva, che dopo il matrimonio di suo figlio si era trasferita a casa nostra, mi esimeva dalle spiegazioni.

Di solito i giovani con paturnie esistenziali trovano sfogo nella politica o nello spettacolo. Ma la mia energia vitale era troppo bassa per alimentare il talento creativo. Quanto alle ideologie, continuavano a sembrarmi come l'amore: utopie inconciliabili con la natura egoista dell'essere umano e in particolare con la mia.

Su suggerimento di Sveva andai in palestra a scaricare le tossine, ma due istruttori dal fisico statuario – subito ribattezzati gli Stronzi di Riace – mi proposero di prendere degli anabolizzanti per diventare come loro e non mi videro più.

Rimaneva la psicanalisi, ma per potermi sdraiare su un lettino avrei dovuto vincere la vergogna e chiedere i soldi a papà, che considerava i tarli della mente un passatempo per perditempo.

Mi accorgo di avere disseminato gli ultimi periodi di *ma*. All'epoca era il mio intercalare quotidiano. Vivevo con la sensazione di essere sovrastato da un muro di incompatibilità contro il quale andavano a sgretolarsi i miei entusiasmi di breve durata. Un po' alla volta spostai i libri di studio sui bordi della scrivania e li sostituii con i manuali di autostima.

Prendi la vita nelle tue mani.

L'arte di conquistare gli amici e il dominio sugli altri.

La nevrosi si può vincere.

Come scacciare gli affanni e cominciare a vivere.

Di ciascun volume sottolineavo le frasi più importanti con l'evidenziatore. Ma le frasi evidenziate si moltiplicavano a ogni lettura e alla fine mi ritrovai a maneggiare dei libri completamente pitturati d'arancione.

Imparai a memoria:

– l'introduzione di Bjorn Borg a un corso di tennis della federazione svedese: «Il tuo problema è che manchi di fiducia in te stesso e questo ti porta a perdere il controllo delle tue azioni»;

– la poesia *If* di Kipling: «Se saprai sognare senza diventare schiavo dei tuoi sogni / Se saprai pensare e non fare del pensiero il tuo unico scopo»;

– la poesia anonima «trovata nell'antica chiesa di

San Paolo a Baltimora», che gironzolava intorno agli stessi concetti con minor qualità letteraria: «Non essere cinico riguardo l'amore, poiché a dispetto di tutte le aridità e disillusioni esso è perenne come l'erba». Infatti mi avevano appena asfaltato l'aiuola sotto casa.

Trasformai in un manuale di auto-aiuto persino *Il grande Gatsby*, identificandomi nel romantico filibustiere irretito dalla donna sbagliata. Fin da ragazzo Gatsby aveva lavorato su se stesso, riempiendosi le tasche di programmi: «Smettere di masticare gomma e leggere un libro o una rivista istruttiva alla settimana».

Incominciai a riempirmi le tasche anch'io: «Fare undici serie di undici piegamenti al giorno e studiare lo spagnolo.»

Evitavo di toccare i due tomi di Diritto commerciale, ma per un mese studiai lo spagnolo facendo piegamenti.

Poi, da un giorno all'altro, sparecchiai senza rimpianti quel teatrino sospeso sul nulla e ne misi in piedi un altro: «Ascoltare tutto Mozart e leggere tutto Jung. Dopo undici settimane di cura, telefonare ad Alessia».

Di settimane ne erano passate un paio a malapena quando Sveva irruppe nella mia stanza e mi tolse Jung dagli occhi e Mozart dagli orecchi.

«Credi non mi sia accorta che stai prendendo

tuo padre per il naso? Non frequenti più l'università, dai gli esami col contagocce e forse non li dai nemmeno. Uno con le tue capacità. Vergognati!»

Scoppiò a piangere.

«Non valgo abbastanza da meritare le tue lacrime» risposi retorico, ma in fondo compiaciuto.

«Io e tuo padre ci stiamo lasciando. Dice che vuole riprendersi la sua libertà. Che fra qualche anno avrà la stessa età di tuo nonno quando morì e perciò non vuole negarsi più nulla.»

«Papà ha paura di morire e io di vivere. Potrei proporgli uno scambio.»

«Dice che dobbiamo lasciarlo in pace, che gli passerà.»

«E io cosa posso fare?»

«Studiare! Dice che il suo malessere dipende dalla tua laurea che non arriva. Lo hai deluso, gli hai tolto fiducia nel futuro.»

«Siamo pari, allora. Ma non capisci che mi sta usando come alibi per giustificare i suoi comodi?»

«Vorrei essere tua mamma per darti uno schiaffo. Spero che dove si trova adesso non possa vedere come ti sei ridotto!»

«Tu mia mamma non la devi neanche nominare, capito? Vattene! Anzi, me ne vado io. Così potrete continuare a scannarvi senza mettermi in mezzo.»

Ecco fatto. Ero riuscito a spezzare anche l'ultimo filo che mi teneva appeso a un'idea di affetto.

Belfagor poteva andare orgoglioso dei miei progressi. Mi sembrava di sentirlo mormorare nella testa le solite parole d'ordine.

«Tu sarai sempre diverso dagli altri e nessuno ti vorrà mai bene davvero.»

Mi ricordai che era estate. Presi la tenda canadese dalla cantina e raggiunsi gli amici ingegneri in un campeggio sul mare Adriatico. Ma per guarire l'anima non basta cambiare ospedale. Detestavo gli amici, il campeggio, il mare Adriatico, tutti i mari del mondo. Detestavo me.

Una mattina mi alzai con un male infame agli angoli della bocca. Mi erano spuntati i denti del giudizio. A venticinque anni.

Si manifestò l'istinto di sopravvivenza. Potevo anche aver deciso di buttare ai corvi la mia vita, ma non mi sarei lasciato mettere le mani addosso da un dentista ignoto.

Saltai sul primo treno diretto a casa. Mentre chiudevo gli occhi per anestetizzare il dolore, dalle spiagge lontanissime dell'infanzia si staccò l'onda di un ricordo dimenticato, che mi investì con l'immagine di un paio di occhiali cerchiati di nero e curvi su di me.

Tento di sfuggire il loro cipiglio indagatore, ma non posso muovermi perché ho un trapano in bocca. Il ronzio della bestia meccanica si placa, ruoto il collo per sentirmi vivo e gli occhiali cerchiati di nero diventano una faccia completa che parla con la mamma e le annuncia che dovrà togliermi il dente.

Io strillo. Il dentista mostra segni di impazienza.
Quindi esce dallo studio per andare in quello accanto a conversare con un'otturazione.

«Che il bambino si sia placato per quando torno.»

«Ci penso io, dottore, non si preoccupi» dice la mamma.

Si avvicina alla poltroncina, mi toglie la salvietta dal collo e mi prende per mano.

«Forza, scappiamo!»

Un attimo e siamo già fuori, ma una voce di trapano echeggia nella tromba delle scale.

«Dove sta andando, signora?»

«Mi sono dimenticata di ritirare un vestito in tintoria.»

«Le tintorie chiudono fra tre ore.»

«Ma lei non ha idea del traffico che c'è oggi.»

Corriamo in strada e ci strizziamo di abbracci.
Allora la mamma mi racconta di quando da ragazza le erano spuntati i denti del giudizio e di come fosse sfuggita al supplizio dell'estrazione con ogni genere di espedienti.

«E poi?»

«E poi li ho tolti. Con calma. Toglieremo anche il tuo, signorino. Appena avremo un po' meno paura tutti e due...»

XXI

I miei denti furono così giudiziosi da costringermi a passare il Ferragosto in città.

Durante un doppio misto fra due tennisti e due scarsi (uno dei quali ero io) conobbi Alberto, un altro naufrago dell'estate che frequentava la redazione del *Corriere dello Sport*. La sera lo scortai alla partita del Toro, scrissi le mie impressioni su un foglio stropicciato e gliele regalai.

Quando di lì a qualche settimana lui partì per il servizio militare, venni convocato in ufficio dal suo capo per prenderne il posto. Si chiamava Orso ed era il primo giornalista che mi capitava di vedere all'opera. Dopo avergli parlato, pensai sarebbe stato anche l'ultimo.

«Alberto mi ha fatto leggere una paginetta demenziale e sostiene che l'hai scritta tu» esordì ricevendomi in piedi nell'atrio come un postulante. «Non ho capito se sei un pazzo o se hai soltanto avuto un'infanzia difficile. Un'ipotesi non esclude l'altra, ovviamente. Ma io propendo per la prima: un pazzo. Quindi con me ti troverai bene. Il tuo compito principale consisterà nell'andare a prendermi il caffè al bar senza versarne troppo sulle scale. Ti avverto: non hai alcuna possibilità di essere assunto, ma anche nell'ipotesi di pura fantasia che un brutto giorno tu riuscissi a coronare il tuo incubo e a diventare giornalista, ti faccio fin d'ora le mie condoglianze perché si tratta di un mestiere di merda. Accetti?»

Risposi di sì e mi ritrovai a battere a macchina brevi deliri su discipline sportive a me ignote come il pallone elastico e il tamburello per un compenso di mille lire a notizia: il prezzo di una brioche.

Ero finalmente qualcuno.

Il sogno di scrivere si era materializzato in forma imprevedibile, quando avevo creduto di non desiderarlo più. Se un sogno è il tuo sogno, quello per cui sei venuto al mondo, puoi passare la vita a nasconderlo dietro una nuvola di scetticismo, ma non riuscirai mai a liberartene. Continuerà a mandarti dei segnali disperati, come la noia e l'assenza di entusiasmo, confidando nella tua ribellione.

Io e Belfagor concordammo una tregua. In cambio della mia rinuncia a indagare le ferite dell'anima, il mostro si impegnava a non avvelenarmi con trasfusioni di sfiducia il sogno appena ritrovato.

Portai al giornale pochi caffè e parecchie storie, che un po' alla volta divennero articoli: prima soltanto siglati, quindi addirittura firmati con nome e cognome.

Per procurarmi qualche altra brioche, Orso Capo mi rimediò una collaborazione alle pagine sportive del *Giorno* di Milano. E poiché la vita sa essere ironica, da lì volevano solo articoli sulla Juve.

Intanto papà stava prendendo congedo da Sveva.
Un distacco punteggiato di pentimenti e scenate.
Lei continuava a chiedermi aiuto, ma io fingevo
di non accorgermene. Belfagor sapeva come com-
portarsi in queste situazioni: scantonando da ogni
verità che fosse intrisa di sofferenza.

Anche mio padre sembrava essere stato contagia-
to dallo stesso morbo e, pur di spostare l'attenzione
dalle proprie inquietudini, cominciò a interessarsi
alla mia metamorfosi. Si muoveva con l'abilità di
uno spadaccino che conosce i punti deboli dell'avversario. In mia presenza ironizzava sulla vacuità del
mestiere di giornalista, ma davanti ai suoi colleghi
declamava le mie cronache sportive neanche fossi
stato la reincarnazione di Jack London.

Era un duello di nervi e stranamente riuscivo a
reggerlo. Mi sosteneva la consapevolezza di aver trovato un posto, e forse un mestiere, senza il suo aiuto.
Però una volta commisi l'errore di chiedergli se la
mamma sarebbe stata orgogliosa della mia scelta.

«Povera donna» rispose. «Ne avrebbe fatto una
malattia. Per te desiderava un lavoro serio, sicuro.
Nei giornali non ti assumerà mai nessuno.»

Il Ferragosto successivo ogni mal di denti era decisamente scomparso e io mi crogiolavo al tepore di
una cabina telefonica nel cuore della Sardegna.

«Sono il caporedattore del *Giorno*» stava dicendo la voce dentro il filo. «Complimenti per i tuoi
articoli sulla Juve, da tifoso non me ne perdo

uno. Mi chiedevo se saresti disposto a trasferirti da noi.»

«Volentieri. Ma per mantenermi a Milano con il compenso da collaboratore avrei bisogno di vincere una lotteria.»

«L'hai già vinta: vogliamo assumerti... Non ti montare la testa. Se n'è andata la prima firma delle pagine di sport e possiamo permetterci di sostituirla solo con un giovane che costa poco. Allora, cosa ne dici?»

«Cosa ne dico? Andrebbe bene yu-uh?»

Abbassai la cornetta e feci gli occhi da pollo alla ragazza con i capelli rossi che mi sorrideva dall'altra parte del vetro. Poi li chiusi a fessura. Avevo una telefonata interiore da fare.

«Assunto in un giornale dopo appena un anno di gavetta. E innamorato, finalmente! Mamma, se devo proprio raggiungerti, fa' che sia ora. Non esisterà mai un momento migliore per morire.»

Era dunque successo. La scrittura mi aveva reso così spavaldo da spingermi a rompere unilateralmente il patto con Belfagor.

Mi ero preso una cotta formidabile. Fra fuochi e chitarre, in riva al mare e dentro un sacco a pelo. Perché tutti, una volta nella vita, abbiamo diritto di credere che le canzoni dell'estate siano state scritte apposta per noi.

Lei aveva il nome di una delle mie nonne, Emma, e lo stesso carattere cocciuto. Pur essendo la più concupita della compagnia, veniva considerata fuori concorso. Troppo legata a un sosia dell'Incredibile Hulk che era stato il suo sogno e lo restava ancora, nonostante avessero rotto alla vigilia delle vacanze e lui avesse portato i suoi muscoli in giro per il mondo senza di lei.

Avevo sedotto Emma nella sorpresa generale, anche un po' mia, mettendo finalmente a frutto una lezione infallibile: ascoltarla. Le donne non si conquistano con le corde vocali, ma con gli orecchi. Noi maschi sprechiamo tempo a rintronarle di battute memorabili quando l'unica cosa che ci chiedono è di prestare attenzione ai loro pensieri.

All'alba ero riemerso dal sacco a pelo con lo sguardo perduto dietro arcobaleni immaginari e la voglia di progettare i cent'anni successivi della mia vita con lei.

Ebbra di stupore quanto me, ma decisamente più concreta, Emma si era messa a raccogliere le lattine di birra abbandonate lungo la spiaggia, mentre io scaricavo la tensione usando gli alluci come pennelli per tracciare sulla sabbia il profilo del mio amore.

Una sua amica mi chiese quale animale preistorico stessi disegnando. E pensare che coi piedi me la cavavo meglio che con le mani. Poi sterzò sull'argomento del giorno. «Non volare troppo alto» fu il suo consiglio. «Anche se Emma e il suo ragazzo sono in crisi, la loro storia non è ancora finita. Lei ci ha creduto tantissimo.»

Il buon senso mi suggeriva di darle retta, ma ero

pervaso da una sensazione di onnipotenza che mi faceva sentire invulnerabile ai colpi della fortuna. La saggezza doveva vedersela con la resistenza tenace del cuore, che si era appena affacciato alle stelle e non aveva alcuna intenzione di ritornare nel suo rifugio antisismico.

Alla fine delle vacanze ripresi il mio posto nella vecchia redazione, in attesa di traslocare a Milano. Dopo una settimana già smaniavo per rivedere Emma. I soldi erano esauriti e non avevo idea di come pagarmi un altro viaggio in Sardegna. Cominciavo a contemplare le ipotesi più disparate, compresa la possibilità di imbarcarmi su un peschereccio, quando Orso Capo mi convocò nel suo ufficio.

«Ho appena smesso di leggere la tua intervista a Michel Platini. Quella dove gli domandi cosa pensa dell'amore assoluto e se è vero che la distanza uccide i sentimenti... Una marmellata impubblicabile! Ti manca la Sardina, eh? Certo che so chi è: chiama qui cinquanta volte al giorno. Ricordi che domenica prossima il tuo Toro gioca a Cagliari? Il giornale non manderà inviati, ma ho convinto la società a lasciarti salire sull'aereo come dirigente accompagnatore... Non mi ringraziare, l'ho fatto perché almeno così mi liberi la linea del telefono. Oh, non è che la stai prendendo in giro? Guarda che l'amore è una cosa sacra... Cosa fai, mi abbracci? Ma allora ti piaccio io! E adesso chi glielo dice alla Sardina?»

Emma era venuta ad accogliermi all'aeroporto con gli occhiali scuri e un foulard da spia per ricordare a se stessa che eravamo una storia clandestina. Ma appena mi vide dimenticò ogni prudenza e mi corse incontro sotto lo sguardo delle telecamere di una tv privata che era lì per immortalare lo sbarco dei calciatori e rimandò l'immagine del nostro bacio in tutta l'isola.

Due giorni dopo la Sardina mi restituì all'ingresso delle partenze. Si era tolta gli occhiali e il foulard. Mi annunciò che si considerava la mia ragazza e che mi avrebbe seguito a Milano in autunno. Aggiunse che al ritorno dalla vacanza intorno al mondo Hulk l'avrebbe sicuramente lasciata.

Non disse che lo avrebbe lasciato lei. Ma la rimozione delle verità scomode era ormai connaturata al mio modo di vivere. Produssi il solito film hollywoodiano e me lo proiettai nel cervello: Hulk tornava dal viaggio senza essere cambiato, Emma si accorgeva di non amarlo più e salpava verso la sua nuova vita con me.

Hulk invece tornò dal viaggio e le offrì casa, matrimonio, figli. Tutto ciò che Emma aveva sempre sperato di sentirsi offrire da lui.

Incominciò un tira e molla telefonico. Era una sfida impari e per di più io la disputavo in trasferta.

Una mattina di novembre varcai con le gambe molli la porta del Palazzo dell'Informazione di Milano per firmare il contratto d'assunzione. Avevo appena appeso il cappotto all'attaccapanni quando squillò l'apparecchio sulla mia nuova scrivania.

«Ciao. Volevo augurarti buona fortuna. Oggi

per te comincia un'altra avventura. Anche per me.
Fra tre mesi mi sposo. Ti scongiuro, non mi cercare
mai più. Faresti del male a tutti e due.»

Sentii lo stesso dolore che avevo provato nella
stanza dei lupetti dopo l'annuncio di Baloo. Un
cucchiaio di ghiaccio che mi penetrava nella pancia
per svuotarmela tutta. Quell'ombra ineluttabile di
morte da cui ero scappato tutta la vita.

Scesi in strada per sfuggire lo sguardo dei colleghi. Mi misi alle spalle piazza Cavour e camminai
lungo via Turati fino a piazza della Repubblica.
Chiesi rifugio a una panchina affacciata sul traffico
e mi schermai la faccia con un giornale. Le lacrime
scendevano lentamente, come da un rubinetto
chiuso male.

Purtroppo il giornale era un tabloid. Troppo piccolo per coprirmi tutto.

SEGUIRONO MOMENTI
DURI E LETTERARI

XXII

Seguirono momenti duri e letterari, in bilico fra romanticismo e retorica.

Del periodo milanese mi rimangono un paio di testimonianze scritte. La prima è il romanzo di Jay McInerney *Le mille luci di New York*, con quell'attacco fulminante: «Tu non sei esattamente il tipo di persona che ci si aspetterebbe di trovare in un posto come questo a quest'ora del mattino».

Era un *tu* che avrei potuto benissimo essere io. Un giovane abbandonato dalla presunta donna della sua vita si perdeva nelle notti della metropoli alla ricerca di se stesso, finché scopriva che l'amore smarrito con cui si era sempre rifiutato di fare i conti era la madre morta di tumore.

Il secondo reperto risale all'anno successivo ed è il foglio su cui avevo abbozzato la brutta copia di una lettera a Emma che riproduco con qualche parentesi aggiunta in seguito.

Milano, 11 ottobre
    Ciao Emma,
    sono le quattro di notte – o del mattino? – e io non so cosa significhi avere sonno. (Risulta subito evidente l'influsso di McInerney.)

Ti scrivo dal pianerottolo del mio bilocale. Il giornalista con cui divido l'affitto si è addormentato lasciando le chiavi dentro la toppa, ma ha gli orecchi foderati di cemento e non c'è strizzata di campanello in grado di svegliarlo. (Volevo farle pena o farla ridere? Stavo tracciando il ritratto di un disgraziato che non riesce neanche a entrare in casa sua.)

Siamo emersi dalla redazione a mezzanotte, tenendo sotto braccio le copie del giornale appena sfornate e alcune colleghe simpatiche. (Una bugia patetica per ingelosirla. In realtà eravamo dieci maschi a stomaco vuoto e stravolti d'adrenalina.)

Uno di noi era stato invitato alla cena di un giornale concorrente, ma non avendo il coraggio di confessarlo ha detto agli altri di andare avanti: lui ci avrebbe seguiti con la sua macchina. Peccato che all'incrocio di Porta Venezia abbia svoltato dalla parte opposta.

Ai tavoli del ristorante c'era ancora parecchio traffico e quando siamo riusciti a ordinare la cotoletta era già l'una. È arrivata all'una e mezzo. Con l'osso e tutto. Alle due è arrivato anche il traditore. Si era sporcato le mani di grasso per farci credere di avere avuto un problema meccanico. E noi: «Chissà che fame avrai! Per fortuna sono avanzate due cotolette e una casseruola di patate fritte». Ha millantato un mal di stomaco, ma ha dovuto mangiare tutto daccapo, pure la torta con le meringhe, e lì ho pensato che scoppiasse. (Con che faccia tosta osavo travestire da luccichii di dolce vita quei miseri scherzi da caserma!)

Mi manchi, Emma. Non tanto per quello che mi

hai dato, ma per quello che mi avresti potuto dare dopo, quando arrivavo a Milano da solo, vivevo e lottavo da solo, da solo mi preparavo da mangiare ed elemosinavo alla portinaia un rammendo per i pantaloni. (Le stavo rinfacciando di non essersi trasferita a Milano per prepararmi da mangiare e rammendarmi i pantaloni.)

Ho appena compiuto gli anni. Ventisette, ma questo lo sai. Quello che non puoi sapere è che il giornale della mia città – sì, La Stampa – mi ha offerto un posto nella sua sede di Roma. Vorrei parlartene. Ho sempre sognato un'amante che fosse anche un'amica e una consigliera. Con te, Emma, le avevo trovate tutte e tre.

Sinceramente credevo di meritarti, dopo tutto quello che ho passato durante l'infanzia. Ricordi quando ti dicevo che mia madre viveva in America, dove dirigeva una multinazionale di cosmetici? (Dai tempi delle medie le avevo fatto fare carriera.)

Le cose non stanno proprio così e un giorno te le racconterò meglio. Credevo di meritarti, comunque. E che tu avessi bisogno di me. Ma questo, forse, non lo credo più. (In effetti si era sposata con un altro.)

Scusa, sto scrivendo un sacco di stronzate e sono quasi le cinque del mattino. Ecco, credevo che tu avessi bisogno di qualcuno che ti scrivesse un sacco di stronzate alle cinque del mattino. (Ancora McInerney.)

Credevo di poterti offrire un mondo popolato da persone divertenti. E un altro, più piccolo ma più grande, abitato solo da noi due. La felicità, Emma.

La felicità è fare l'amore a ore strane oppure nor-

mali, purché con te. La felicità è crescere insieme, liti-
gare a chi ha la testa più dura e poi, pieni di bernoc-
coli, salire un altro gradino del nostro amore. La feli-
cità è un appuntamento al bar a cui io arrivo in ri-
tardo. (Abbastanza curiosa, come idea di felicità.)
Un problema che ti assilla e lo risolviamo insieme.
Un braccialetto che io ti regalo, una camicia che tu
mi lavi. (Dopo averla rammendata, suppongo.)
   Scusami ancora per questa vagonata di pensieri idio-
ti. Ti volevo soltanto dire che non mi manca una don-
na. Mi manchi tu. Che sei anche una donna, e che don-
na. Ma sei qualcosa di più: l'altra metà di me.

Non so quanto sia giusto prendere in giro il me
stesso di allora. I sentimenti veri hanno una dignità
che li preserva dal senso del ridicolo.
   Di lettere simili ne scrissi a decine. Qualcuna la
imbucai pure, senza mai ricevere in cambio nemmeno una cartolina. E sì che ce n'erano di bellissi-
me in Sardegna. Una immortalava la spiaggia in cui
ci eravamo amati. Me l'ero spedita da solo. Ogni sera la guardavo e, dopo essermela impressa nella
mente, chiudevo gli occhi per sentire l'odore dei baci e del mare.
   Il ricordo idealizzato del suo volto si stemperò un
po' alla volta e mai del tutto. Mi ci vollero due anni
per guarire, cioè per tornare a sentirmi male come
prima di averla conosciuta. Il dolore apre squarci
che consentono di guardarsi dentro. Ma io continuavo a guardare dalla parte sbagliata.

L'aver perduto nuovamente l'amore mi peggiorò. Venni colto dalla smania di rinnegare il passato. Non risposi a un'ultima lettera di Sveva e con impeto autodistruttivo smisi persino di ricambiare le telefonate di Mio Zio, l'unica persona che mi facesse ancora sentire parte di qualcosa.

Poi sbarcai a Roma, la grande cagna che lecca tutte le ferite.

XXIII

Nel cassetto più remoto della mia scrivania conservo una scatola rotonda. Nei suoi anni ruggenti ha offerto ospitalità a tre strati di biscotti danesi, ma da tempo si è riconvertita in cassaforte dei ricordi di una vita. Rovistando dal fondo, ecco il primo quaderno di scuola. Quello con una pantera in copertina e l'incipit che segnò l'esordio della mia carriera letteraria: «È autumo e cabono le folie». Poi il cadavere sfrangiato del fazzoletto a pois della mamma che sbatacchiavo sulle pareti di casa durante le sedute di *tic tic*. E lo scheletro del bocchino da pipa che ho tenuto per mesi fra le labbra dopo aver archiviato le Camel Lights, fischiandoci dentro come un arbitro o una locomotiva ogni volta che provavo il desiderio di aspirare.

Ancora: una foto di Alessia la narcisa a una festa in maschera. (È vestita da Faraona.) Il biglietto che una fidanzata sensibile mi aveva infilato di soppiatto nel manuale di Diritto privato: «Qualunque sciocchezza tu stia ascoltando a lezione in questo momento, pensa che stasera saremo insieme». La lettera mai spedita a Emma. E la sua faccia, immortalata da una polaroid. Il rosso acceso dei capelli si è ormai impastato in una macchia più riflessiva, rosé.

Gli anni di Roma abitano tutti in cima alla scatola e cominciano con una copertina di *Playboy* a cui è pinzata la fotocopia di una preghiera buddhista.

I buddhisti romani si ritrovavano ogni giovedì sera nei pressi di piazza San Pietro, in una casa affacciata ironicamente sul bastione della cristianità. Era un palazzotto d'antica e torva nobiltà, sprovvisto di un ascensore funzionante e con i gradini delle scale molto bassi per consentire alle ruote delle carrozze di scivolarci sopra.

La prima volta che mi ci avventurai non ne vidi in giro neppure una (il servizio era stato interrotto da alcuni secoli) e dovetti sudare i sei piani di scale a piedi. La ginnastica dell'anima predilige le salite. Mi consolavo al pensiero che neanche Mosè aveva ricevuto le tavole dei Dieci Comandamenti in cantina.

Mentre lasciavo le scarpe sul pianerottolo, un suono d'organo mi riportò l'eco di certe messe cattoliche dell'infanzia. A produrlo era l'impasto delle voci che ripetevano un mantra.

Con l'anima in soggezione raggiunsi la sala della preghiera e mi sedetti anch'io sul pavimento nella posizione raccolta del fiore di loto, fino a quando un laico crampo al polpaccio mi costrinse a disincagliare le gambe e a distenderle sul fianco come una baiadera.

Il responsabile del gruppo dichiarò aperta la riunione. Aveva la barba a ciuffi di Che Guevara e probabilmente ne era stato un seguace in gioventù, prima di dirottare le sue smanie rivoluzionarie dalla società a se stesso.

I presenti raccontarono a turno i benefici che la pratica buddhista aveva apportato alle loro esistenze. In quel salone era esposto un campionario completo di umanità. Persone di tutti i tipi, accomunate unicamente dall'incontro con il dolore.

Mi colpì il rifiuto del vittimismo. Una ragazza scampata alla droga ammise che nel momento più basso della sua parabola aveva pensato che persino gli alberi si spostassero per non farle ombra. La preghiera le aveva alzato lo stato vitale. Ora sapeva che le cause dei suoi guai andavano cercate dentro se stessa.

Ogni confessione si concludeva con un applauso collettivo, che riecheggiò anche quando uno studente universitario dall'aria giuliva annunciò che la recita del mantra gli aveva risolto i problemi di parcheggio.

Gli applausi, i parcheggi. Era un po' troppo, per me. Ma proprio allora Agnese decise di presentarmi alla platea.

«Lui ha un problema con la figura del padre...»

L'avevo conosciuta tra i vicoli di Trastevere l'inverno successivo a quello del mio approdo a Roma. Di notte, concluso il lavoro al giornale, frequentavo la tribù dei Velleitari: attori in cerca di registi, registi in cerca di produttori e produttori in cerca di soldi, che si inseguivano da una terrazza all'altra rimediando soltanto promesse vaghe di inviti a cena.

Agnese faceva veramente l'attrice, ma più che altro lo era. Bionda, sensuale e posseduta da una comicità inconsapevole. Aveva recitato in un film di successo, ispirato le fantasie degli adolescenti da una copertina di *Playboy* (dove indossava solamente un bikini di borchie di cuoio) e sperimentato qualsiasi genere di emozioni con una prevalenza spiccata per le più dannose. Alla soglia dei trent'anni l'incontro con il buddhismo l'aveva sottratta al falò delle vanità per trasformarla in una guerriera dello spirito.

Era la prima volta che ospitavo la fede in camera da letto. Ogni sera Agnese si inginocchiava davanti a un tempietto portatile e recitava il suo mantra. La vedevo uscire da quei corpo a corpo con se stessa completamente rigenerata. Mi aveva attirato verso il Buddha con la tecnica irresistibile – un alternarsi di allusioni e sguardi dolenti – che le donne utilizzano quando vogliono indurti a fare qualcosa senza chiedertelo.

Avevo preso tempo, frapponendo scrupoli religiosi inesistenti, finché mi ero convinto ad accompagnarla a una riunione.

«Lui ha un problema con la figura del padre...»

«Con la figura del padre? Più con quella della madre» obiettai.

«Con la madre o col padre?» si informò la padrona di casa che sovraintendeva agli incensi.

« Io ho problemi sia con la figura della madre sia con quella del padre » rispose una ragazza che mi sembrava di aver già visto in un programma televisivo.

« Pure io! »

« E io! »

« Vedi? Qui non ti sentirai mai solo » riassunse Agnese, allargando la faccia fotogenica in un sorriso di beatitudine.

« Ma io non ho problemi col padre. Cioè... li ho, ma non sono fondamentali. »

« Ah, no? E allora perché ti scordi sempre di pagare le bollette e non sai neanche cambiare una lampadina? »

« Devi proprio raccontare i fatti miei? Cosa c'entra mio padre con le bollette e le lampadine? »

« Non mi hai sempre detto che è un uomo pratico? Tu ti rifiuti di esserlo per far dispetto a lui. È il tuo modo di marcare la differenza. »

« Il mio problema è che sono innamorato, ma non sono felice. »

Non sapevo perché mi fosse uscita quella frase. Forse era stato Belfagor a ispirarmela per allontanare il discorso da un tema che lo infastidiva.

Gli occhi di tutti si girarono verso Agnese con aria interrogativa. Tranne quelli di Che Guevara, che si piantarono su di me.

« Hai fatto una scoperta importante. L'amore non basta a rendere felici gli esseri umani. La felicità non è figlia del mondo, ma del nostro modo di rapportarci a esso. Non dipende dalla ricchezza, dalla salute e neanche dall'affetto di un'altra persona. Dipende solo da noi. Quindi tutti possiamo provarla. Forza, ripetiamo: io posso essere felice.»

«Io posso essere felice» intonò il coro.

«Sei d'accordo?» mi incalzò il Che.

«In astratto sì. Ma la vita non è un mantra per buontemponi. Nello stomaco di tutti galleggia un'ingiustizia che abbiamo subìto e consideriamo inaccettabile. La prova dell'inesistenza di un disegno superiore che, se ci fosse, non avrebbe mai potuto permetterla. Per sopravvivere al dolore siamo stati costretti a costruirci una corazza di cinismo che ci protegge dalla verità.»

«Quanti anni hai?»

«Quasi trenta.»

«È l'età dei primi bilanci. So cosa provi, ci sono passato. Hai la sensazione di aver vissuto lungo un piano inclinato che ti ha portato sin qui. Come se tu fossi il prodotto di scelte che non sono state influenzate da te, ma da chi ti stava intorno. Sei cresciuto con una madre ingombrante?»

«Piuttosto ingombrante, sì» mentii, ma neppure troppo.

«Anche mia madre è una rompiscatole!» disse il giulivo che trovava i parcheggi.

«Accettate le vostri madri» continuò Che Guevara con un tono dimesso che stemperava l'enfasi delle sue parole. «Solo così potrete accettare voi stessi e andare incontro alla vita senza sentirvi dei perseguitati, ma con quella leggerezza vigile che è il segreto di ogni fortuna. »

« Come si fa ad accettare se stessi? » domandai.

« Ogni volta che ti inginocchi per recitare il mantra, poniti l'obiettivo di fare pace con tua madre. Allora potrai guardare in faccia la verità, dissipando le nebbie che la nascondono allo sguardo dei deboli di spirito. Se vuoi cambiare gli effetti, cambia le cause. La vita risponde. Sempre. »

Dopo quella sera tutte le domande appese al soffitto tornarono giù. Perché mia madre era morta così giovane? Quanto diverso e migliore sarei stato, se fossi cresciuto con il calore di una famiglia? Dal momento che la mamma è il primo insegnante d'amore che abbiamo, sarei rimasto un ripetente a vita?

Prega e troverai le risposte, aveva detto Che Guevara. Pregai in giapponese, ma le risposte non arrivarono. Allora ricominciai a cercarle nei libri, nelle canzoni, nei dialoghi estenuanti con me stesso.

Una notte, dopo aver fatto l'amore, Agnese si rannicchiò fra le mie braccia e io mi sforzai di armonizzarmi col suo respiro placato. Ma prima di parlarle, aspettai di essere sicuro che dormisse.

« Vorrei trovare il coraggio di dirlo almeno a te » sussurrai alla sua ascella. « Mia mamma è morta quando avevo nove anni. Ha resistito fino all'ultimo per amor mio, ma non ce l'ha fatta. E io non riesco ancora ad accettarlo, capisci? Devo trovare un senso a questa ingiustizia. Nelle tragedie greche

che tu ami tanto c'è sempre un vendicatore che ristabilisce l'equilibrio offeso. Ma contro chi posso vendicarmi, io? Contro il Dio che me l'ha uccisa? E in che modo, se non so dove abiti né che forma abbia? E poi il tuo Buddha mi risponderebbe che la vendetta non ristabilisce l'equilibrio. Pone solo le cause di squilibri nuovi.»

La mattina mi svegliai con l'odore del caffè e il sorriso di Agnese sopra di me.

«Ho fatto un sogno strano, stanotte» esordì. «C'era un bugiardo nel letto che mi diceva la verità.»

«E tu gli volevi un po' bene?»

«Gli ripetevo: smetti di rimuginare e incomincia a sentire.»

«Ottimo consiglio. Cosa suggerisce lo chef per colazione?»

«Una cura ricostituente.»

Mi allungò il vassoio. C'erano un cappuccino, un cornetto e la fotocopia di una preghiera buddhista.

Bisogna essere padroni della propria mente senza lasciare che la mente diventi la nostra padrona.

Amici miei, risvegliate in voi una profonda fede e lucidate lo specchio della vostra vita senza la minima negligenza, giorno e notte.

Conquistate il dominio del vostro io, stringendo abilmente le redini di quel cavallo ribelle chiamato mente. E correte, correte...

XXIV

Non sapevo andare a cavallo e la mente mi disarcionò. Era ancora troppo pervasa di cerebralismi per lasciarsi domare dalla spiritualità.

Mi rifugiai nelle certezze dell'ambiente di lavoro: quel circo di giornalisti, politici e intellettuali che aveva eletto a residenza privilegiata le terrazze più ariose di Roma. Scambiare pettegolezzi coi potenti era un sistema collaudato per non mettersi mai in discussione.

Eppure nemmeno lì mi sentivo accettato. La mia specialità consisteva nel trovarmi a disagio ovunque fossi. Fra gli spirituali affiorava il mio senso dell'umorismo, una vocina petulante che mi impediva di prenderli troppo sul serio. E fra gli intellettuali l'anima assetata di infinito, che si sentiva intrappolata nei loro discorsi aridi.

Nella scatola dei biscotti non ne rimane traccia. C'è però un palloncino scoppiato che avvolge il mio vecchio passaporto. Quello con il visto delle Maybe Airlines.

In seguito a una concatenazione irripetibile di circostanze, l'estate dei trentatré anni mi sorprese in una cabina telefonica di un aeroporto militare, con una moglie alla cornetta e un giubbotto anti-proiettile intorno alla pancia. Mi ero sposato quattro mesi prima, ma non con Agnese. Il nostro amore era stato un ponte più che un approdo: ci eravamo congedati senza scenate, con un senso reciproco di gratitudine e di prostrazione.

Ero stato raccolto da una collega scorbutica col prossimo ma dolcissima con me, che aveva letto tutti i miei scrittori stranieri preferiti – lei però senza bisogno della traduzione – e in quel momento mi stava tenendo un corso accelerato di training autogeno al telefono.

«Tu sei l'uomo più coraggioso del mondo!»

«Scusa, con chi stai parlando?»

«Preferisci che ti dia del vigliacco?»

«Avresti ragione. Me la faccio addosso e ti assicuro che non è una metafora... Senti, a Sarajevo non ci vado. È una città sotto assedio. Mancano la luce, l'acqua, il gas. E la gente si spara per le strade.»

«Lo so e ho tanta paura. Ma so anche che ce la farai!»

«Cosa c'entro io con la guerra? Fino a tre anni fa scrivevo di sport. E da quando sono passato a occuparmi di politica il pericolo maggiore che ho corso è stato prendere un caffè con un ministro.»

«Lo vedi? Gli altri pensano che tu sia un umorista, capace solo di vedere il lato buffo delle cose.»

«Ma che m'importa degli altri!» mentii.

«Salta su quell'aereo e stendili tutti!»

Sotto l'influsso della mia dea della guerra mi aggiustai il giubbotto antiproiettile sulla pancia e salii a bordo di un bombardiere dell'Onu carico di provviste alimentari, dove mi scavai un posto fra le confezioni di tonno in scatola.

La spinta emotiva sopravvisse al decollo, ma si esaurì già nei pressi di Sarajevo, appena il pilota tedesco mi indicò le bocche dei cannoni serbi mimetizzati nella boscaglia.

« Se ci abbattono, domani le Nazioni Unite dirameranno un energico comunicato di protesta » disse in un inglese legnoso.

Invece io per urlare scelsi l'italiano.

« Cosa ci faccio qui?! »

Il giubbotto antiproiettile non riusciva a proteggermi da una paura vergognosa di morire. Per combatterla, mi misi a parlare a voce alta con la mamma.

« Sono un vile... Non ne sei convinta? Fidati, sono un vile. Il dramma è che forse lo sono stato anche nello sposarmi. »

Il mio tono aveva la sincerità dei momenti decisivi.

« Il problema non è mia moglie. Coinvolta e determinata: l'hai sentita prima al telefono. Sono io, che avevo bisogno di una salita e invece ho preso una scorciatoia. Ho cercato di cambiare la mia vita senza cambiare me. Mi sono raccontato la favola dell'amore fra simili e dell'unione di due solitudini. E poi c'è la sua famiglia che è solida, accogliente ed è una famiglia: quando mai ne ho avuta una, dopo di te? Però così non cresco, mamma. Persino il giorno delle nozze non ero uno sposo, ma il solito orfano. Una coda di vergogna mi strisciava fino a terra durante la cerimonia. Temevo la reazione degli invitati alla scoperta che tu esistevi solo nelle bugie che avevo propinato loro in questi anni. Anche se devo riconoscere che la tua assenza non li ha sconvolti. Sembravano più interessati alle tartine.»

Era una seduta di autocoscienza ad alta quota, sotto il tiro dei cannoni: stavo esplorando l'ultima frontiera della psicanalisi.

«Rimango sempre l'elfo depresso che cammina sulle punte a testa bassa... Eppure, mentre le mettevo la fede al dito, ero convinto di vedere il cielo.»

Il pilota e il suo secondo non capivano l'italiano e mi lanciavano strane occhiate. Avranno pensato che parlassi dentro un registratore? Ne dubito. Dai loro sorrisi accondiscendenti sarei portato a dedurre che mi considerassero impazzito.

«Mamma, e se mi fossi davvero sposato per paura? Sì. Paura di perdere qualcosa di cui adesso mi accorgo che potrei benissimo fare a meno: l'illusione di una stabilità e di una sicurezza che sono solo i simulacri dei bei sogni che mi auguravi da bambino. Oh, ma lasciami atterrare vivo a Sarajevo e ti prometto che farò decollare il mio matrimonio... Darò subito uno scrollone alle vecchie abitudini, ripartendo dai sentimenti più semplici.»

Per esempio volendo bene a Matt, il soldato scandinavo dell'Onu con il casco sormontato da un paio di corna che mi accolse all'aeroporto fra hangar sbrecciati e capannoni spettrali.

Mi accolse non è il verbo giusto. Mi prese per il collo, trascinandomi di peso lungo la pista, fuori dal tiro dei cecchini e fino alla dogana, una trincea di fango su cui andavano alla deriva i resti di una scrivania.

Matt si sedette sul bordo e macchiò con un timbro la prima pagina libera del mio passaporto.

Maybe Airlines, la Compagnia del Forse.

«È il visto d'ingresso» ridacchiò. «Ti piace il nome? L'ho inventato io.»

Lo ricompensai con una sigaretta.

«E tu niente?» mi chiese, tirando con avidità.

«Ho smesso da poco.»

Era vero. Avevo fumato l'ultima durante il viaggio di nozze, in cima a una collinetta ribattezzata per la circostanza Poggio Polmone.

Mi ero portato ugualmente dietro una stecca, immaginando che in guerra gli scrupoli salutistici si sarebbero affievoliti. Ma avevo intenzione di inaugurare la mia nuova vita con un gesto di generosità. Rovesciai lo zaino e dieci pacchetti di Camel Lights caddero fra le braccia del guerriero vichingo, che mi benedisse in una lingua di cui compresi soltanto il sorriso.

Per esempio volendo bene a Salem.

XXV

L'ospedale di Sarajevo fluttuava come un galeone fantasma sopra cavalloni di polvere, fra edifici anneriti e strade squarciate. Un'infermiera si ostinava a strofinare i pavimenti con uno straccio inesorabilmente asciutto, mentre un'orda di mamme indurite dalla disperazione inseguiva i medici lungo i corridoi e li tirava per il camice, implorando e minacciando.

Era una di quelle situazioni in cui anche la carità si trova costretta a scegliere. Le Nazioni Unite avevano allestito un aereo per trasportare a Londra quaranta bambini in condizioni disperate. I medici perlustravano i reparti, stilando gerarchie di sventura che cambiavano di continuo perché ogni giorno moriva qualcuno. Si era appena liberato un posto e le mamme se lo contendevano come leonesse, pronte a tutto pur di guadagnarsi uno scatto in quell'assurda lista d'attesa.

La stanza 51 del reparto di pediatria si affacciava direttamente sulla strada da quando una bomba aveva sbrecciato i muri e strappato i vetri ai finestroni. Non c'erano più né cibo, né flebo, né lenzuola fresche. Solo la ressa dei parenti intorno ai lettini. Nell'unico senza visitatori, il più lontano dalla porta, giaceva un bimbo dai capelli così neri da sembrare blu.

La sua solitudine mi attrasse. Dalla bocca gli pendeva un ciuccio primordiale e palesemente inadeguato all'età. Una pezza macchiata di sangue saliva e scendeva dal petto in sintonia con il respiro. In una mano stringeva un palloncino scoppiato.

Lo accarezzai ed esplose in un acuto.

« Mama! Dada! »

« Sta chiamando mamma e papà » si inserì il dottor Joza. Era un infermiere, ma tutti lo chiamavano dottore. Si era meritato la promozione sul campo.

« Salem è orfano. I genitori sono finiti sotto una bomba, il mese scorso. A lui invece un cecchino ha sparato allo stomaco. »

Esisteva un essere umano, in quella città, che per quisquilie di razza si era appostato dietro un cornicione, aveva inquadrato nel suo mirino telescopico un bimbo che giocava per strada con un palloncino e gli aveva sparato allo stomaco.

« È nella lista per Londra? » mi informai.

Il dottor Joza scosse il capo.

« Nessuna mamma si batte per lui. »

Fu come se lo starter di una corsa a ostacoli avesse sparato dentro la mia testa.

« Proverò io a tirarlo fuori di qui. »

Tormentai funzionari dell'Onu e diplomatici inglesi, ma ognuno aveva la sua lista in tasca. Si limitarono a inserire Salem in fondo ai loro elenchi come gesto di cortesia.

L'unica speranza erano i dollari che custodivo nel

giubbotto antiproiettile. Ce ne vollero cento per avere un nome.

Comandante Ciuka.

L'interprete mi condusse all'appuntamento attraverso strade pulitissime. A Sarajevo gli spazzini lavoravano più in fretta della guerra.

Come tutti gli abitanti della città in trappola, anche noi camminavamo sempre lungo lo stesso lato del marciapiede, quello non inquadrabile dai cannoni degli assedianti. Ogni due passi alzavamo la testa verso i tetti delle case per sondare la presenza di qualche cecchino. In sottofondo si sentiva la musica lugubre dei colpi di fucile, sparati chissà da dove, da chi e contro chi, ma sparati di continuo, a intervalli brevi.

Il comandante Ciuka ci aspettava in un bar fumoso, con le pareti ricoperte di graffiti studenteschi che richiamavano gli slogan del Sessantotto. Lo aveva comprato grazie al bottino delle rapine in banca. Nella sua vita precedente aveva sostato per lunghi tratti in galera come bandito, ma appena Sarajevo era diventata una prigione a cielo aperto aveva armato trenta ragazzi del suo quartiere e si era autoproclamato loro capo.

Esiste un confine fra umano e disumano ed è il senso di giustizia. Il comandante Ciuka non era un buono. Era un giusto. Aveva messo in salvo i vecchi della zona e ingaggiato battaglia per recuperare un quintale di farina che aveva regalato agli orfani rintanati in una spelonca vicino al fiume. Ogni volta che passava a trovarli con la sua Mazda fiammante e chiaramente rubata, i bimbi gli accarezzavano le mani che lui non staccava mai dalla mitragliatrice.

Gli raccontai la storia di Salem e misi un pacchetto di dollari sopra il tavolo.

«Li prendo, ma non per me» disse. «Serviranno a oliare le serrature.»

Tornai il giorno dopo e mi mostrò una lista con tutti i timbri in regola: il nome di Salem era accanto al numero 11. Il mio preferito.

Prima di congedarsi mi consegnò un palloncino rosso.

«Portalo a quel bambino da parte mia.»

Fu così che entrai nell'ospedale più triste del mondo con un sorriso sulla faccia e un palloncino appeso alle dita.

Attraversai la stanza 51 e vidi una folla intorno al letto di Salem. Per un attimo sperai fossero i suoi parenti musulmani, ma erano biondi come il bimbo con le bretelle sdraiato sulla branda e intento a divorare una purea di patate in polvere.

Il dottor Joza affondò una mano nella mia spalla.

«Ce l'abbiamo fatta!» lo investii. «Salem è in lista. Anche se, a quanto vedo, sta già un po' meglio. In quale reparto lo avete spostato?»

«Salem è morto. Stamattina.»

Strinsi il palloncino in un abbraccio di rabbia finché non mi esplose fra le mani.

«Vuole che l'accompagni a vederlo?» mi chiese il dottor Joza.

«Grazie. Faccio da solo.»

Chiusi gli occhi e lo vidi. Giovane, adulto, vecchio, come non sarebbe stato mai, e poi di nuovo bambino: con quel buco nello stomaco che non avevo fatto in tempo a riempire.

Ancora una volta mi ero illuso che la vita fosse una storia a lieto fine, mentre era soltanto un palloncino gonfiato dai miei sogni e destinato a esplodermi sempre fra le mani.

A Sarajevo passai un mese in alberghi senz'acqua e senza luce, incontrando bambini senza mamme e senza piedi: li avevano lasciati sopra le mine.

Accostato al loro, il mio dramma infantile tornò a farmi pena. Era il mio dramma di adulto che non me ne faceva più. A cosa mi stava servendo questa vita che avevo così paura di perdere?

Prima di ripartire per Roma aiutai l'interprete a portare via dei libri dalla sua casa bombardata. Vidi una copia in francese dei *Miserabili* di Victor Hugo e cercai una frase nelle ultime pagine, sapevo che era lì.

Il protagonista Jean Valjean sta per spegnersi nel suo letto e Cosette, la figlia adottiva, lo implora di resistere. Non vuole che muoia, ma quel grande giusto la rassicura.

«*Ce n'est rien de mourir. C'est affreux de ne pas vivre.*»

È nulla il morire. Spaventoso è non vivere.

Una volta restituito alla vita di sempre, precipitai nella vita di prima. Dopo un po' smisi di alzare la testa ogni due passi per snidare cecchini sui tetti di Trastevere. Persino il ricordo di Salem cominciò a stingersi. Egoismo e ironia erano gli scudi di Belfagor dietro i quali tornavo a nascondermi per non soffrire.

Dimenticai la promessa fatta alla mamma e il matrimonio deragliò al termine di un anno di stenti, la sera in cui mia moglie mi comunicò che l'orologio biologico aveva suonato la sveglia.

Mi ritrassi contro le ante dell'armadio a muro, quasi a rimarcare fisicamente le distanze fra il suo impulso e il mio. Avevo rimpianto la mancanza di una famiglia per tutta la vita. E ora che avrei potuto costruirmene una, mi accorgevo di averne il terrore.

Non è poi così vero che si desidera ciò che non si è mai avuto. Quando si sta male, si preferisce ciò che ci appartiene da sempre.

Ogni vittima tende a riproporre gli schemi del proprio passato e nel mio c'erano i pranzi di Natale con Mita e papà. Quando pensavo a un figlio, io non vedevo un erede ma un orfano potenziale.

Sfinito dai miei silenzi, Mio Zio aveva smesso di cercarmi. Ma durante gli strazi della separazione da mia moglie fece sapere a papà che avrebbe desiderato passare qualche ora con me. Era malato e gli restava poco da vivere.

Ci vedemmo a casa dei miei, dove avevamo trascorso tanti pomeriggi a parlare del Toro, del *tic tic*, dei libri che solo lui aveva letto davvero.

Aveva perso i capelli per effetto delle cure, ma gli occhi erano rimasti gli stessi, azzurri e puliti, della mamma.

Avrei dovuto chiedergli scusa e amarlo senza riserve. Forse sarei riuscito a sciogliere con un gesto d'affetto tutti i miei affanni. Invece l'imbarazzo mi impedì di rompere la crosta delle frasi fatte. Ormai il mio nuovo palcoscenico erano le terrazze di Roma e guardavo con malcelato fastidio la semplicità dei miei parenti. A ripensarci, facevo schifo.

Quando Mio Zio si spense nel suo letto come Jean Valjean, sua moglie mi spedì a Roma la scatola dei cerini con cui la mamma si era accesa l'ultima sigaretta prima di sentirsi male. Era stata trovata su un davanzale e lui l'aveva venerata come una reliquia.

Appresi così che, sul punto di morire d'infarto, la mamma si era ancora accesa una sigaretta. Una matta autentica. Come me. Ma di buon cuore, come io non ero più.

XXVI

Furono le donne a estrarmi dalle secche in cui mi ero arenato, forse per ricompensarmi della diserzione di massa compiuta durante l'infanzia. Ovunque mi girassi c'era un volto femminile pronto a sorridermi: l'amica che mi trovava un appartamento in affitto sul suo pianerottolo, la signora delle pulizie che assomigliava alla tata sempre agognata, la compagna di giochi notturni che mi accettava per quel che potevo darle: onestamente non molto.

Il matrimonio sbocciato e subito appassito aveva prodotto una conseguenza infingarda sui miei umori sessuali. Prendevo fuoco con la stessa rapidità con cui mi spegnevo.

Le operazioni di sganciamento erano complicate dalla costanza delle vittime, che non riuscivano a capacitarsi delle mie capriole emotive. Mi comportavo come quei maschi che, non avendo la forza di staccarsi dalla donna che non desiderano più, si lasciano scivolare ai margini della relazione con l'aria di esserne sospinti da lei.

Dopo due anni di figure infami, decisi di tenermi alla larga da tutte per non rovinare la vita a nessuna. L'astinenza volontaria mi rafforzò. Incominciavo a sentirmi autosufficiente e una sera d'estate andai a prendere il fresco su una terrazza romana con l'intima convinzione che avrei potuto fare a meno dell'amore per sempre. Fu allora che venni colto alle spalle dall'anima gemella.

Stavo spiegando a un paio di amiche che neppure la volgarità di taluni individui (mi riferivo a un collega che distribuiva le lasagne nei piatti con le mani) sarebbe riuscita a togliermi la fiducia nel progresso umano, quando una voce da film vibrò all'altezza della mia nuca.

« Non siamo scimmie evolute, ma divinità decadute! »

Mentre mi giravo ricordo di aver pensato: ecco la solita pazza che si imbuca alle feste ed esagera col gin. Poi la vidi e dovetti riconoscere che da film non aveva solamente la voce.

Pagai un tributo ai suoi zigomi e commisi l'ingenuità di risponderle.

« Hai le prove di quanto affermi? »

« Neanche tu! Questa storia delle scimmie è un luogo comune che gli scienziati hanno accettato solo perché non riuscivano a trovarne una migliore! »

« Sarà mica perché una migliore non esiste? »

« Se usi la testa e i cinque sensi sicuramente no! »

« E cosa dovrei usare? »

« Il cuore! »

Non sfuggirà a nessuno che io avanzavo nella giungla dei massimi sistemi agitando dei blandi punti interrogativi, mentre lei impugnava gli esclamativi come daghe.

Alla vista del sangue le mie amiche si volatilizzarono. In realtà non ci fu alcuno scontro. Mi limitai ad accogliere le sue rivelazioni con una raffica di smorfie.

Elisa mi parlò di Atlantide, una civiltà più evoluta della nostra che si era autodistrutta per eccesso d'avidità. I suoi resti giacevano nelle profondità del mare, nascosti agli occhi ma non alla coscienza degli uomini, se solo avessero ritrovato la capacità di interpellarla.

Interpellai la mia e seppi che di fronte a quell'impasto di anima e zigomi si era sgretolata la corazza che avevo diligentemente indossato negli ultimi tempi.

Dall'amico che l'aveva portata alla festa seppi invece che era la sua ragazza. Mi ci vollero mesi per scoprire che non era vero, mentre sarebbe bastato chiederlo a lei. Appena lo feci ci mettemmo insieme con una complicità immediata, neanche ci fossimo già innamorati da qualche altra parte, immagino in una mansarda di Atlantide.

La conquistai con una cenetta a casa mia. Arrivò sotto un cappello da diva del muto, strizzata in una gonna di lana arancione che si ritirava all'altezza delle ginocchia per lasciare spazio a delle calze profondamente nere che precipitavano quasi subito dentro gli stivali.

Era in compagnia di due pizze biologiche surgelate, come se avesse avuto una premonizione sul destino delle mie rolatine precotte che di lì a poco sarebbero uscite dal forno a microonde completamente liquefatte.

Nei gesti di una coppia che nasce si può leggere la sua missione. Elisa era entrata nella mia vita per cambiarne il menu. Non era altrettanto chiaro cosa fossi venuto a combinare io nella sua. Forse a donarle un po' di leggerezza: la mia espressione mentre estraevo le rolatine dal forno l'aveva fatta parecchio ridere.

Quando ci trasferimmo in salotto mi sentivo così al sicuro con lei che decisi di raccontarle tutto. Intendo non le solite bugie, ma qualcosa di veramente incredibile per me: la verità.

Le misi in grembo l'album fotografico di una vita e mi sedetti sul bracciolo della poltrona per pilotare lo sfoglio.

«Ecco, questo sono io da piccolissimo con mia madre... Evitati pure la battuta che fanno tutti: com'eri carino, poi cosa è successo?»

«Io ti preferisco ora. Non mi piaceresti con le guance gonfie e una palla di riccioli in testa.»

«Comunque qualcosa è successo sul serio. Vedi? Nelle foto successive mia madre non c'è più. È morta quando avevo nove anni.»

«Mi dispiace.»

Mi sfiorò una mano con dita da pianista che poi lascio lì.

«Stava lottando contro un tumore, ma era diventata così debole che all'alba dell'ultimo dell'anno un infarto se l'è portata via.»

Mi guardò in un certo modo. Come ti guarda una donna quando ha deciso di scommettere su di te.

Cercai di sfiorarle il ginocchio con la mano libera. Questa, almeno, era la mia intenzione. In realtà mi partì una gomitata che le rimbalzò sulla coscia.

« Per te è un problema se sono orfano? »

Scartò leggermente all'indietro, ma più per via della gomitata che dell'orfano.

« Conosco tanti orfani di genitori vivi: figli non amati, incompresi » disse.

« Tu hai paura della morte? »

Tipico mio. Sono abbarbicato al bracciolo di una poltrona, in attesa del momento giusto per baciare la possibile donna del destino, e le chiedo se è terrorizzata dall'idea di crepare.

Comunque non parve sconvolta. E neppure sorpresa.

« Sono andata vicina alla morte da ragazza. Da allora la conosco e non ci penso più. So che è un passaggio di dimensione: dalla materia all'antimateria. Gli Egizi la chiamavano Uscita nella Luce. Fa già meno paura, vero? »

« E la vita? »

« Mi fa paura l'idea di sprecarla. Se la morte è un viaggio, immagino che la vita sia il prezzo del biglietto. »

« È nulla il morire. Spaventoso è non vivere. »

« Oh! L'ho letta anch'io, non ricordo più dove. »

« È mia. »

Nel caso ci fossimo messi insieme, avrei dovuto ricordarmi di far sparire *I miserabili* dalla libreria.

«Sei sicuro? E cosa volevi dire esattamente quando l'hai scritta?»

Cominciavo a capire il tipo. Non si accontentava di pattinare su una bella frase. Voleva trascinarmi a fondo.

«Be'... che la vita va affrontata. Che anche i dolori, le ingiustizie e le lacrime sparse per una causa servono a qualcosa, per quanto non saprei a cosa.»

«Secondo me servono se ti spingono a cambiare. Ti è mai capitato di chiederti, dopo aver preso una mazzata: perché mi è successo, cosa mi sta dicendo la vita?»

«No, di solito mi lamento della mazzata e basta. Ma tu per caso avresti una risposta da suggerirmi?»

«Così mi prenderai in giro come su Atlantide!»

«Non ti ho preso in giro! Non troppo, almeno...»

A riprova della mia innocenza, spalancai le braccia nella posizione della farfalla sofferente d'artrosi e la colpii con una seconda gomitata, stavolta alla spalla.

Mi prese entrambe le mani, credo per autodifesa. Le nostre dita si intrecciarono e lei me le strinse. Non esiste momento più bello, all'inizio di una storia, di quando intrecci le dita in quelle dell'altra persona e lei te le stringe. Ti stai affacciando su un mare di possibilità.

Protesi le labbra verso le sue, ma non dovetti compiere l'intero percorso perché me le trovai addosso a metà strada.

Sapevano di bei sogni.

L'INEVITABILE MI COLSE
ALLA SPROVVISTA

XXVII

L'inevitabile mi colse alla sprovvista, mentre preparavo la valigia per una trasferta di lavoro.

Mio padre lottava da tempo contro un tumore e annunciò al telefono l'aggravarsi della sua malattia con lo stesso tono burocratico che utilizzava per ricordarmi una bolletta scaduta.

Sentii un morso allo stomaco che mi sorprese per la sua intensità. Era solo paura di perderlo o avevo appena scoperto quanto gli volevo bene?

Cambiai destinazione al bagaglio e con Elisa trascorsi l'estate a Torino, nella stanza dove la mamma mi aveva parlato per l'ultima volta.

Adesso disteso in quel letto c'era papà. Così inerme di fronte alla morte. Così diverso dall'uomo che avevo temuto per tutta la vita.

Una sera d'agosto guardò il sole tramontare oltre la finestra e comprese che non lo avrebbe più rivisto. Mi afferrò un polso.

«Ho amato soltanto tua madre, sai?»

«Anche tuo figlio, spero.»

«Non ho capito mai niente di te. Però sì, ti ho voluto bene. Sulla fiducia.»

Tentò di sorridere, ma la tosse lo ingolfò.

«Mi sento ancora in colpa verso di lei. Se quella notte non mi fossi riaddormentato...»

«Cosa dici, papà? Tu sei Napoleone, d'accordo. Però neanche lui avrebbe potuto sventare un infarto fulminante.»

Stava per ribattere qualcosa, invece abbassò le palpebre. Quando le riaprì fluttuava già in un altrove.

«Dopo la scomparsa di tua madre eri un bambino molto solo. Avrei dovuto prenderti un cane.»

«Mi sarei accontentato di una tata decente. Ma adesso basta, riposati...»

«Cane» sarebbe rimasta la sua ultima parola. Non gliel'avevo mai sentita pronunciare prima di allora e attribuii la stranezza agli effetti della febbre. Mio padre era insensibile al fascino degli animali.

La camera ardente fu allestita nel salotto che aveva già ospitato quella della mamma. E fra coloro che montavano la guardia al feretro stavolta c'ero anch'io.

Passando accanto alla bara refrigerata, la metà femminile di Giorgio e Ginetta mi urlò sottovoce: «Vendi questa casa maledetta!»

Mi sembrò una frase senza senso. Belfagor, immediatamente consultato, la attribuì alla disperazione per la perdita dell'amico di una vita.

Nel giorno del mio compleanno, che è anche la festa degli Angeli Custodi, salii sul Monte Circeo con Elisa per recuperare un brandello delle vacanze perdute.

Costeggiavamo le propaggini del bosco quando da una siepe sbucò qualcosa di completamente bianco. Un cane poco più grosso di un topo, con il muso e le zampe di un lupo.

Annusò l'aria, indeciso sulla direzione da prendere. Poi, fra i numerosi passanti che si contendevano la sua attenzione, puntò risoluto verso di me.

Lo amai subito, dunque tentai di liberarmene. È sempre il primo impulso, quando amo. Riuscii a seminarlo a un incrocio, ma Elisa tornò indietro e lo trovò piantato in mezzo alla strada: la stava aspettando.

Divenne Billy. Essendo poco pratici di cani, impiegammo due giorni per scoprire che si trattava di una femmina. Non cambiò il suono, solo la grafia: Billie. Come regalo di compleanno, papà mi aveva spedito un angelo custode a quattro zampe.

Sarei stato il primo a dubitare delle coincidenze astrali, se Billie non si fosse rivelata fin dall'inizio una cagnolina atipica. Non abbaiava ai gatti. Prima di entrare in una stanza sollevava la zampa anteriore per chiedere permesso. Coltivava con puntiglio la sua solitudine e passava giornate intere a osservare un punto indefinito dello spazio.

Col tempo credo di avere capito che cosa vede. Billie intercetta l'energia dell'amore. Si nutre di quel genere di vibrazioni.

Basta che qualcuno nei paraggi alzi troppo la voce perché lei vada a nascondersi in un angolo inaccessibile dello sgabuzzino. Ma se due persone si abbracciano all'interno del suo campo di ricezione, sentiranno uno spostamento d'aria intorno alle caviglie. È l'angelo dell'amore che sventola la coda e fa le linguacce, felice.

Il lavoro mi dirottò per tutto l'inverno in un residence di Milano dove venivo raggiunto da Elisa e Billie nei fine settimana.

Una sera in cui il cielo era plumbeo e Belfagor mi aveva dipinto il cuore come il cielo, portai il lupo-topo del Circeo in un atollo di verde circondato dal traffico.

Gli altri cani stavano immobili al centro dell'isolotto, paralizzati dall'idea di cadere nel mare di macchine. Invece Billie si affidò all'assetto aerodinamico del proprio telaio e improvvisò un girotondo frenetico intorno all'aiuola. Era una corsa assurda e meravigliosa. Il suo modo di opporsi alla realtà per trasformarla nel sogno che abitava dentro di lei.

Non compresi la lezione e a cena mi sedetti davanti a Elisa per riempire la mia pancia di ravioli e le sue orecchie di lamenti sul mondo che congiurava compatto contro di me.

«Perché ti comporti da vittima senza esserlo?» mi interruppe. «Pensi male. E mangi peggio. Impugni la forchetta come se fosse uno scalpello e hai il sugo che ti cola dagli angoli della bocca. Ma che schifo!»

«Il tuo implacabile senso di osservazione! Signorina undici decimi, di tutto quello che ti ho raccontato l'unica cosa che ti interessa è il sugo?»

«Sì, mi interessa. Moltissimo. Hai quarant'anni e stai a tavola come un bambino viziato. Possibile che nessuno ti abbia insegnato un po' di educazione?»

«E chi doveva insegnarmela? Chi? Nessuno mi ha mai insegnato niente. Nessuno!»

Solcai a grandi passi il salottino del residence alla ricerca di qualcosa di appagante da distruggere. Finché fra il divano e le tende vidi un tremolio bianco.

Billie. Spaventata, ma soprattutto offesa: senza amore com'ero, la stavo affamando. Caddi in ginocchio e la strizzai in un abbraccio che me ne ricordava uno lontano. Mi uscirono lacrime che non sapevo di possedere. Billie le leccò tutte con pazienza e il furore un po' alla volta evaporò.

Il mattino seguente trovai un messaggio di Elisa dentro la giacca. Lo aveva scritto sul retro di un biglietto da visita.

Pensa in ogni momento che tua mamma vive e ti insegna a vivere. È sempre stata con te e si rammarica che tu non creda nell'amore totale. Salutala quando ti svegli e parlale sempre, di tutto. Lei sa che cos'è l'amore. Ringraziala per il bene che ti vuole e sforzati di non dar retta al tuo scetticismo. Immagina di buttarlo in un cestino.

In attesa di trovare un cestino così capiente, ripiegai

il biglietto dentro l'astuccio che tenevo nella tasca interna della giacca, insieme con la foto dove sorridevo in grembo alla mamma e con un autografo raro di mio padre. La volta in cui, al fondo della solita lettera scritta a macchina e fitta di riferimenti a bollette e multe da pagare, aveva aggiunto di suo pugno: *Un abbraccio, papà.*

XXVIII

Al ritorno dal suo funerale mi aveva cercato Madrina. Prima di rientrare nella mia vita si era ostinata ad aspettare che lui terminasse la sua.

Mi parlava come se avessi ancora nove anni: era rimasta lì e in un certo senso anch'io. Gli affetti dell'infanzia si imprimono nel cuore come tatuaggi indelebili. Quando sembrano morti sono solo svenuti. E possono riprendere a vivere senza bisogno di troppe spiegazioni.

Madrina si rivelò la superstite di un mondo sconosciuto. Era uscita dalle nebbie del mio passato con uno zaino intatto di ricordi e i suoi racconti costruivano una parete di calore che cresceva giorno dopo giorno.

Nel timore di perdermi qualcosa, le chiesi di scrivermi tutto.

Tutto ciò che riguardava la mamma.

La vigilia di Natale mi consegnò un quaderno verde con i fogli a quadretti: li aveva riempiti di una prosa asciutta, stesa in una calligrafia chiara e priva di cancellature.

L'ho conosciuta durante la guerra. Io lavoravo alla Spa, un'azienda della Fiat appena bombardata, e lei era venuta per il colloquio d'assunzione. Aveva sedici anni, tre meno di me. Ricordo quegli occhioni azzurri, sbarrati in un'espressione di ansia e di spavento. Dissi a una collega: «Fuori c'è una ragazzina bionda che sembra un angioletto».

L'ho rivista tempo dopo in ufficio, con un fazzoletto nero intorno alla testa. Dopo essere stata assunta come dattilografa si era ammalata di tifo, perdendo tutti i capelli. Aveva le mani blu, ma lì il tifo non c'entrava. Era l'inchiostro della carta carbone con cui duplicava i documenti battuti a macchina.

Abbiamo scoperto di abitare a pochi isolati di distanza e il sabato pomeriggio abbiamo cominciato a uscire insieme. Poi è arrivata la fine della guerra. La Liberazione. Gli operai hanno occupato la fabbrica e noi donne siamo state spedite in cantina per un giorno e una notte, ad aspettare che i tedeschi lasciassero la città.

Allora io e la mamma ci siamo avviate verso casa. Procedevamo a zig-zag, perché non tutte le strade erano sicure. I cecchini fascisti sparavano dai tetti e bisognava mettersi a correre. A questo, che era il dramma collettivo, si aggiungeva quello personale di tua madre. Aveva rotto il listino di un sandalo e, ogni volta che dovevamo attraversare di corsa una strada pericolosa, perdeva regolarmente la scarpa. Non so quante volte mi sono fermata ad aspettarla.

Nei giorni successivi non fu facile incontrarci, perché lei abitava in via Calandra accanto a due «case chiuse» e la coda di partigiani che si affollavano per entrare arrivava fino a corso Vittorio. Tua mamma usciva solo accompagnata da nonna Giulia, fingendo di non sentire i commenti ammirati, ma spiacevolmente volgari, dei maschietti in fila.

§

Quell'estate, finita la guerra, ci siamo sfogate con il ballo. Andavamo alla Pagoda, un locale di corso Massimo davanti alla fermata del tram.

Venivamo fuori dall'ufficio alle cinque. La Pagoda era aperta fino alle sei e mezzo e poi di nuovo la sera, quando però io non avevo il permesso di uscire. Così approfittavamo di quella parentesi di libertà prima di cena.

A un tavolino stava seduto il senatore Agnelli con la sua infermiera. Il fondatore della Fiat ascoltava la musica in silenzio, guardando i giovani danzare. Era sempre l'ultimo ad andarsene. Sarebbe morto pochi mesi dopo.

Un pomeriggio entrò una comitiva di ragazzi eleganti mai visti prima. Uno di loro si avvicinò alla bionda più carina della sala e le chiese di ballare un tango. Disse di chiamarsi Gianni. Solo quando se ne fu andato abbiamo scoperto che era Gianni Agnelli, il nipote del Senatore. Le altre ragazze circondarono la biondina: «Cosa ti ha detto?» Ma lei non se lo ricordava. Forse soltanto «grazie».

Tua mamma non sapeva di aver ballato il tango con il suo principale.

A vent'anni si ammalò di polmonite. Gli antibiotici non erano ancora in commercio e fu curata con sulfamidici e impiastri, ma la febbre era altissima. Respirava a fatica, talmente soffocata dal catarro che non riusciva neanche a bere. Il dottore che la curava... sperava in Dio come noi.

Tutte le sere, all'uscita dall'ufficio, correvo da lei. Mia madre temeva che il male fosse contagioso, ma non osava e neanche voleva impedirmi di starle vicino. Si era convinta che il fumo spazzasse via i microbi e con mio grande stupore – me le aveva sempre proibite – mi comperò delle sigarette.

Poiché la polmonite peggiorava, ebbi la faccia tosta di bussare alla porta del capufficio. Un uomo burbero, ma buono. Chiamò un pezzo grosso della Fiat. Il giorno dopo arrivarono gli antibiotici e tua mamma fu salva.

§

Era così golosa. D'estate mi portava in una latteria vicino a casa per mangiare il gelato. Una volta si presentò un ragazzino con la tuta da lavoro. Guidava una bicicletta sgangherata e sovraccarica di merci. Chiese il cono più piccolo, ma non aveva abbastanza soldi nemmeno per quello e la lattaia glielo rifiutò.

Risalì sulla bici, mogio mogio. Tua mamma lo chiamò indietro. Sento ancora adesso la sua voce: «Bambinooo!»

Fulminandola con lo sguardo, ordinò alla lattaia

un cono gigante e lo consegnò al piccolo operaio. Da quel giorno non volle più mettere piede nella latteria.

§

Alla Pagoda aveva conosciuto un certo Carlo. Era un bel ragazzo. Anzi un uomo, perché avrà avuto trent'anni e allora a trent'anni eri un uomo.

Carlo è stato il suo primo amore. Veniva dalla provincia di Asti e possedeva un'auto. In un mondo di biciclette faceva il suo effetto.

Una domenica lui e suo fratello ci portarono al paese per la festa del santo patrono. Il ballo in piazza sarebbe cominciato al tramonto, dopo la funzione dei vespri: troppo tardi per due ragazze di città che dovevano essere a casa all'ora di cena. Ma pur di ballare con tua mamma Carlo convinse la banda ad attaccare in anticipo, suscitando scandalo fra i compaesani.

Questo Carlo voleva divertirsi sempre e impegnarsi mai. Sparì prima che la relazione diventasse seria. La mamma ci rimase male, ma le passò. In seguito ci fu Vanni, che per lei aveva lasciato un'altra con la quale credo si sia anche sposato, dopo che tua mamma gli diede il blu... Insomma, lo piantò. Non ne era mai stata veramente innamorata.

Al matrimonio dei nostri colleghi Giorgio e Ginetta conobbe tuo padre. Vanni era timido. Lui invece... Anche se a te sembrerà strano, in compagnia aveva un comportamento estroverso.

Il resto, più o meno, dovresti saperlo. L'ostilità di

nonna Emma, la convivenza forzata sotto lo stesso tetto, il trasloco nella casa nuova e la tua nascita.

§

La mamma aveva paura del dolore fisico. Adesso ti racconto l'odissea dei suoi denti del giudizio. Le davano fastidio quando mangiava, ma preferiva tenerseli pur di non andare dal dentista.

Mi ero offerta di accompagnarla, però per tre volte non si presentò all'appuntamento. Alla quarta sono andata a prenderla a casa e l'ho scortata fino alla porta dello studio.

Suono il campanello, saluto l'infermiera (ormai eravamo vecchie conoscenze) e le dico: «Ho finalmente convinto la mia amica». E l'infermiera: «Quale amica?» Mi volto e la mamma non c'è più.

L'ho riacciuffata in fondo alle scale. A estrazione avvenuta pretese di vedere i denti che le erano stati tolti. Non riusciva a capacitarsi di non aver sentito niente, grazie all'anestesia.

§

Come mai ti ho scritto questa storia? Ogni tanto la vecchiaia mi fa smarrire il filo dei pensieri... Ah, sì. Tua mamma aveva paura del dolore fisico. Una paura folle.

L'unica occasione in cui non gliel'ho vista addosso è stata alla vigilia della tua nascita. Lì la gioia superava tutto, persino il timore. Ti ho portato a casa io dalla clinica, fra le mie braccia. Zio Nevio guidava con cautela perché il carico era prezioso.

Ogni domenica pomeriggio venivamo da voi e finivamo col fermarci a mangiare, anche solo pane e prosciutto. Mentre tua mamma rigovernava, io ti mettevo nel tuo lettino e ti parlavo. Ti piaceva la mia voce, mi sorridevi e protestavi se stavo zitta. Ci siamo detti tante belle cose.

Una volta, avrai avuto due anni, ero passata a salutarti all'uscita dall'ufficio e tu mi avevi gettato le braccine al collo piangendo: non volevi che andassi via. Temo ti piacesse soprattutto la morbidezza del collo di pelliccia del mio soprabito.

Qualche anno dopo, ricordi? siamo stati insieme in crociera alle Canarie. La mamma soffriva il mal di mare e rimaneva in cuccetta o sulla sdraio del ponte con me, a chiedere di te. Ma tu ti trovavi sempre da qualche altra parte. Eri curioso di tutto. In quel periodo avevi la passione delle capitali estere. Fermavi un passeggero e gli domandavi: qual è la capitale del Perú? E se lui non la sapeva, lo sgridavi.

Quando siamo scesi a Cadice, la guida turistica che doveva scortarci in visita a una fabbrica di liquori si presentò in ritardo e, non conoscendo bene l'italiano, disse che era molto «triste» per il contrattempo. Rimanesti impressionato da quell'ammissione, confermata dal suo aspetto malinconico.

Appena tornati sul torpedone che ci avrebbe ricondotti in porto, abbiamo trovato su ogni sedile una bot-

tiglia di liquore. Tu non ci hai pensato un attimo: hai preso la tua bottiglia e l'hai regalata alla guida. « Così smetterà di essere triste. » Infatti riuscisti a farlo sorridere.

§

È stato un periodo bello. Poi tutto è finito con la malattia della mamma. Non so cosa ti abbiano raccontato di lei. Ma era impossibile non volerle bene. Era simpatica, ecco. Aveva come un'energia.

Dopo la sua morte, tuo padre ha cominciato a dirmi che la domenica non potevamo più vederci perché voi dovevate seguire il Toro anche in trasferta.

Ma gli altri giorni io lavoravo. Lo pregai di venirmi incontro. Mi rispose che non era sua abitudine chiedere l'elemosina: se non avevo tempo da dedicarvi durante la settimana, avreste fatto a meno di me.

Alla vigilia di Natale sono passata a prenderti con zio Nevio per andare a comprare il regalo e ti abbiamo trovato già sotto casa. Tuo padre non aveva nemmeno voluto farci salire.

Credo fosse geloso di mio marito, che era un professore e sapeva incantarti coi suoi discorsi. E poi la mia presenza gli ricordava la mamma, mentre lui voleva chiudere quel capitolo della sua vita.

Ho provato e riprovato a rientrare nella tua. Inutilmente. Io non piango mai, ma una sera zio Nevio mi ha trovato in lacrime accanto al telefono. Si arrab-

biò moltissimo e mi proibì di chiamare ancora tuo padre.

Ti ho seguito da lontano, attraverso le notizie che mi davano Giorgio e Ginetta. Ho cominciato a comprare Il Giorno *di nascosto, quando ci scrivevi tu. Poi sei passato a* La Stampa, *il giornale di casa, così potevo tenerti d'occhio senza sotterfugi. Per tanti anni leggerti è stato il mio modo di stare con te.*

Ci siamo ritrovati troppo tardi. Mio marito non c'è più e io mi accorgo che col passare dei mesi, neppure degli anni, le forze calano e i guai aumentano. Mi è comunque di grande conforto sapere che ci sei e vederti sistemato con Elisa. Mi è piaciuta subito e sarebbe piaciuta anche alla mamma.

Vi voglio tanto bene, ragazzi miei, adesso siete la cosa più bella che ho.

Madrina

XXIX

Nonostante le ombre dell'ultima pagina, chiusi il quaderno con un senso di gratitudine. Avevo conosciuto la ragazza che sarebbe diventata mia madre. E la potenza di un'amicizia. Mamma e Madrina erano state più che sorelle. Non si erano capitate, ma scelte.

Mi impressionavano anche le imprese di quel bambino sfrontato e pieno di slanci. Ero stato davvero così, prima di perdere la spinta dell'amore? Ricominciò il giochino dei *Se*.

Se la mamma fosse rimasta viva più a lungo, come una mamma qualsiasi, sarei cresciuto all'ombra di due donne protese su di me: lei e Madrina. Anziché volteggiare impacciato intorno alle ragazze che mi piacevano, le avrei abbordate con disinvoltura, chiedendo loro la capitale del Perú. E invece di barricare la giovinezza nella contemplazione del mio ombelico, avrei regalato bottiglie di liquore a tutti i depressi, a costo di farmi arrestare per istigazione all'ubriachezza.

Sarebbe stato troppo facile, però. E una vita così non mi sarebbe servita a niente. Tutto sommato mi preferivo con una scheggia piantata nel cuore. Avevo passato la prima parte della mia esistenza a rimpiangerne un'altra che non avrei desiderato vivere.

Quell'adolescente bionda con le mani sporche di carta carbone e gli occhi spalancati su un mondo di spaventi continuava a mancarmi terribilmente. Ma in un modo diverso. Adesso mi mancava la possibilità di proteggerla.

Mi ero risposato in Campidoglio alle nove di un mattino di primavera, brindando con succo di mirtillo. Mentre sorridevo al fotografo che ci immortalava in pose plastiche sullo sfondo eterno dei Fori, per un attimo non mi ero sentito più un orfano ma un uomo.

Con Elisa frequentavo ambienti e libri nuovi, scoprivo che si può coltivare la spiritualità senza appartenere a una religione di massa, comprendevo segreti che ci ostiniamo a ignorare anche se si trovano dentro di noi. O forse proprio per questo.

Imparavo a non subire gli eventi, a interpretarli come segnali. Scoprivo che l'amore poteva essere un bastone a cui appoggiarsi, ma rimaneva anzitutto una spada per conquistare una nuova consapevolezza delle proprie potenzialità. Per anni lo avevo vissuto come un acquisto, mentre era la cessione di qualcosa a un'altra persona.

Su questi temi avevo avviato un dialogo con i lettori attraverso una rubrica di posta del cuore. Era stata Elisa a darmi la spinta, esortandomi a infischiarmene di quei maschi che considerano l'educazione sentimentale una perdita di tempo e il racconto dei tormenti dell'anima un'ammissione di debolezza.

Un giorno di marzo arrivò in redazione una lettera particolare. Fin dalle prime righe compresi che la vita mi stava offrendo l'occasione di rivelare finalmente agli altri chi ero. Ne riporto il testo seguito dalla mia risposta, così come apparvero sul giornale.

Ho trentanove anni e sono felicemente sposato. Non scrivo dunque per problemi coniugali, ma perché avevo una madre stupenda, di appena vent'anni più vecchia di me. Una neoplasia mammaria me l'ha portata via durante le vacanze di Natale e da allora la mia vita è un film in bianco e nero.

Grazie a mia madre ho imparato ad amare i Rolling Stones (un po' meno i Beatles), Lucio Battisti e il mio prossimo. Mi ha insegnato a stare bene in mezzo alla gente, a portare rispetto ai più deboli e a non soffrire per la sordità e la cecità del mondo nei confronti di noi romantici.

Ha lavorato in fabbrica tutta la vita, ha amato profondamente mio padre, ha curato mio nonno e, già malata terminale di cancro, ha assistito sua madre fino alla fine. Dopo il decesso della nonna si è chinata sul suo corpo e le ha sussurrato nell'orecchio: «Grazie di tutto».

Altri tre mesi ed è mancata anche lei. Era un mattino di sole e mi ha detto con un filo di voce: «Non mollare mai, sei in gamba ed è stato un onore per me averti come figlio ».

Mentre Le scrivo sto piangendo, ma ho il cuore spezzato e non riesco a riprendermi. È troppo dura da mandare giù. Voglio rivolgermi a Lei in questo momento di dolore estremo, in modo che la Sua saggezza e la Sua preparazione riescano in parte a colmare questo enorme vuoto.

Gabriele

Non sono né saggio né preparato, Gabriele. Però sono orfano di madre anch'io. Dall'età di nove anni. E lettere come la Sua hanno ancora il potere di turbarmi, persino in un'epoca come la nostra che ha trasformato le emozioni in un genere televisivo.

Dieci anni fa, e ne avevo già trenta, non parlavo volentieri di mia mamma con nessuno, nemmeno con me. Da ragazzo negavo inconsciamente che fosse morta, nascondendo la sua foto in un cassetto. Se ora riesco addirittura a scriverne su un giornale è perché ho accettato il mio dolore, e ho perdonato tutti. Lei per essersene andata e l'universo per essersela presa: a quarantatré anni, dopo una vita che non fu troppo diversa da quella di Sua mamma.

La mia era orfana di padre e durante la guerra, all'età in cui oggi le adolescenti raccontano a questa rubrica i primi raffreddori sentimentali, lavorava in fabbrica sotto le bombe per aiutare mia nonna a mantenere i quattro fratellini più piccoli.

Era bionda, sbadata, emotiva come me. Era altruista e disponibile con tutti, un termosifone sempre acceso a temperatura costante, come io vorrei essere e non sono.

Se fosse sopravvissuta al male che la portò via durante le vacanze di Natale, proprio come la Sua, oggi sarei probabilmente un avvocato (era la sua previsione: «con quella parlantina!») perché il giornalismo è un mestiere troppo aleatorio e non so se avrei avuto il coraggio di darle un cruccio simile.

La invidio, Gabriele, per non aver pronunciato nella lettera la più ovvia delle recriminazioni: come mai una donna così buona se n'è andata così in fretta? Non ha lasciato nel nido un pulcino spaurito, ma un adulto al quale aveva fatto in tempo a insegnare ad amare il prossimo, Lucio Battisti e i Rolling Stones: l'essenziale, insomma.

Eppure la morte precoce di una madre rimane un'ingiustizia inconcepibile. Ci salva la consapevolezza che questa vita sia solo un corso di addestramento. Da affrontare col sorriso sulle labbra, se si può. Ma la vera goduria deve essere altrove.

Noi siamo qui per prepararci. Però non ci troviamo tutti allo stesso livello. Alcuni sono più avanti col programma e hanno bisogno di meno tempo per prendere il tagliando e spiccare il volo. A chi è già un angelo da giovane non serve diventare anziano. Non sempre, almeno, altrimenti si dovrebbe concludere che solo i cattivi invecchiano e non è vero.

Mettiamola così: ciascuno ha un progetto da compiere, in questa vita, e le nostre mamme hanno esaurito il loro più rapidamente di altri. Perché era più breve. O perché erano più brave. Rimaniamo noi figli, con un carico di ricordi che nel Suo caso, per fortuna, è superiore ai rimpianti.

Mi è stato detto che l'ultimo gesto che mia madre compì, la notte in cui perse definitivamente conoscenza, fu di venire nella mia stanza a rimboccarmi le coperte. La Sua le ha sussurrato all'orecchio quelle parole meravigliose.

Ricordiamocele così, nell'atto di amarci e di benedirci per l'ultima volta. E cerchiamo di esserne degni, Gabriele. Senza retorica e senza paura.

* * *

Non avevo pensato agli effetti. Fui sommerso da un'ondata calda di lettere, come se per un attimo le mie parole si fossero sintonizzate con l'anima del mondo.

Una signora mi scrisse che, dopo aver letto la rubrica, era andata a trovare sua madre al puro scopo di abbracciarla. Non lo faceva da tempo, ma pensando a chi certi abbracci li aveva elemosinati invano tutta la vita, si era sentita per la prima volta una privilegiata. Al contrario di un'altra lettrice, che aveva perso la mamma a due anni e considerava un privilegiato me, che della mia conservavo almeno il ricordo.

Al giornale la rivelazione provocò reazioni diverse a seconda della collocazione geografica. I guerrie-

ri della notizia che assiepavano il salone denomina-
to «Tienanmen» appesero la lettera in bacheca. Un
commesso mi fece addirittura le condoglianze.

A «Capalbio», la stanza degli intellettuali e dei
fantasisti che bazzicavo anch'io, nessuno diede l'im-
pressione di averla letta, se si esclude una collabora-
trice inutilmente carina che volle sapere a quale film
francese mi fossi ispirato. Soltanto un'editorialista
sessantenne dai modi arcigni mi lasciò sulla scrivania due cioccolatini e un biglietto: «Immagina che
siano carezze».

Un giornalista televisivo molto famoso espresse
al telefono la sua delusione per la mia svolta sentimentale: da un fustigatore di costumi come me si
sarebbe aspettato meno miele e più peperoncino.

Mi confidò di essere in partenza per un safari con
un branco di banchieri. Augurai ai leoni buon ap-
petito.

QUANTO TEMPO ERA TRASCORSO

XXX

Quanto tempo era trascorso dalla mia confessione pubblica?

Un soffio, nove anni.

Billie era diventata ancora più bianca ed Elisa ancora più giovane: ha una pelle di bimba.

Lavoravo di nuovo a Torino come ai tempi di Orso Capo. Solo che adesso uno dei capi ero io.

Belfagor aveva continuato a sonnecchiare dentro di me e negli ultimi mesi aveva ripreso in pieno la sua attività di vulcano dato per spento troppo in fretta.

A ridestarlo era stata la stesura del mio primo romanzo, che avevo ribattezzato affettuosamente romanzetto. Dopo aver iniziato e interrotto decine di storie, ero riuscito finalmente a trovare il coraggio di completarne una. Ma le operazioni di scavo che rendono lo scrittore simile all'archeologo avevano ridato forza al mio mostro interiore.

Tutti quei libri lasciati a metà erano la prova di quanto il risveglio di Belfagor mi facesse paura. Eppure, se volevo cambiare la mia vita, era indispensabile che lo provocassi, costringendolo a venire allo scoperto per la battaglia finale.

Il giorno della verità è cominciato con la caffettiera che borbottava eccitata senza decidersi a sciogliere la tensione in uno scroscio liberatorio.

Può darsi che avessi dimenticato di aggiungervi l'acqua, ma avevo le mie ragioni. Con le dita tatuate di scotch stavo tentando di restaurare la copia pilota del romanzetto che si era disfatta durante il periplo delle presentazioni. E noi maschi non riusciamo a fare due cose insieme. Per questo abbiamo edificato una società che ci consente di farne una sola, lasciando il resto del carico alle nostre compagne.

Nel romanzetto avevo immaginato un orfano di madre che mi assomigliasse, ma neanche troppo. Lo avevo immerso nelle vasche di un centro benessere molto particolare, le Terme dell'Anima, per costringerlo a intraprendere un percorso iniziatico che io non avrei mai avuto il coraggio di affrontare.

Lo avevo circondato di medici spirituali che conoscevano a memoria le massime di padre Nico. Gli avevo mostrato come distinguere il brusio mutevole delle emozioni dal linguaggio eterno dei sentimenti. Gli avevo consegnato dolori e ostacoli, ma anche l'energia per superarli e riprendere contatto con l'intuizione: la parte atrofizzata del cervello che è collegata col cuore e ci consente di ascoltare quella che Jung chiama «la voce degli dei».

Durante la scrittura l'avevo sentita anch'io. Mi aveva rivelato cose che nessun ragionamento logico avrebbe potuto confermarmi, ma che si erano imposte al mio animo con la forza di una verità conosciuta da sempre. Che tutti abbiamo una prova da affrontare, in questa vita, e che la mia consisteva nel sublimare l'esperienza dell'orfano di madre. Sopperire alla mancanza dell'energia femminile ritrovandola dentro di me.

Ingessata la copia del romanzetto con una fasciatura provvisoria, l'ho messa al sicuro nel cassetto più remoto della scrivania, accanto alla scatola dei biscotti danesi. Poi ho preparato un caffè di riserva e me lo sono scaraventato in gola senza neppure girare lo zucchero: Elisa si era stagliata sulla porta con le chiavi dell'auto in mano.

Era l'ultimo dell'anno e, come ogni anno da quando ci siamo ritrovati, bisognava passare a prendere Madrina per accompagnarla dalla mamma. Al cimitero.

Ci è venuta ad aprire con la borsetta già appesa al braccio, ma mentre la aiutavo a infilarsi il cappotto ha portato il discorso sul romanzetto.

Gliel'avevo regalato a Natale, benché fosse uscito in primavera. La ragione del ritardo era stata un piccolo intervento agli occhi che l'aveva privata per qualche mese del piacere di divorare i suoi gialli. Avrei potuto leggerglielo io, ma la voce degli dei mi aveva suggerito di aspettare il momento in cui Madrina avesse riacquistato la vista e ogni cosa sarebbe stata giusta e perfetta.

Le ho chiesto se aveva apprezzato le pagine dedicate alla mamma del protagonista. Ero partito dall'idea di farne l'unico squarcio autobiografico di tutta la storia, anche se nel descrivere la scena della sua morte mi ero concesso qualche licenza.

Si trascina verso la finestra... la spalanca e si aggrappa al davanzale... ma le sue unghie hanno già lasciato la vita... si spezzano... e lei scivola nel vuoto con la fronte alta e gli arti spalancati... atterra sopra un cumulo di neve... senza né un taglio né un livido... è morta di infarto durante il volo...

La fantasia del cadavere volante aveva preso forma inconsapevolmente sulla tastiera del computer come se l'avessi estratta da un sogno.

Madrina ha lasciato intendere che i fatti si erano svolti in maniera diversa. Questo lo sapevo anch'io. È che non immaginavo ancora quanto.

«Caro il mio ragazzo, avrei una cosa da darti.»

«È tardi. Dobbiamo andare al cimitero prima che chiuda. Me la darai dopo.»

Io sono lo specialista del Dopo e conosco tutti i trucchi per trasformarlo in Mai.

«Dopo non esiste! Adesso!» ha intimato Elisa.

La donna dei punti esclamativi davanti ai problemi non scappa. Va loro incontro a cuore sguainato.

Rinfrancata dal suo sostegno morale, Madrina ha armeggiato con chiavi da gnomo intorno ai cassetti del comò. Fra le sue belle mani piene di nodi è spuntata una busta marrone.

«Dopo quarant'anni sarebbe ora che qualcuno ti dicesse la verità.»

Ho aperto la busta con gesti sconnessi ed è apparso un vecchio ritaglio di giornale.

Del mio giornale.

Era l'edizione del pomeriggio e portava la data dell'ultimo dell'anno di quarant'anni prima.

Madre si getta dal quinto piano

La tragedia all'alba in corso Agnelli - E' morta sul colpo, aveva 43 anni - Era stata operata di recente

Tragedia, stamane all'alba in corso Agnelli: una donna, madre di un bimbo, disperata per essere affetta da una grave malattia, si è uccisa gettandosi dalla finestra di casa. E' morta subito.

Si chiamava Giuseppina Pastore, aveva 43 anni. Abitava al quinto piano dello stabile di corso Agnelli 32, con il marito, geom. Raoul Gramellini, e il figlio Massimo, di 9 anni. Il 20 settembre era stata operata di cancro: da allora viveva nell'angoscia.

Stamane, sconvolta da una crisi improvvisa, si è alzata dal letto mentre il marito e il figlio dormivano ancora. Erano appena le 6, cadeva fitta la neve. Giuseppina Pastore ha aperto la finestra del salotto, è salita sul davanzale e si è lanciata nel vuoto. Il suo corpo è stato trovato nella neve, coperto di sangue, dai primi passanti del mattino. Uno di essi ha telefonato alla polizia.

Gli agenti, su indicazione di un inquilino, sono saliti al quinto piano. Hanno suonato a lungo, per svegliare il marito della suicida. Non si era accorto di nulla: sono stati i poliziotti a comunicargli la notizia del tragico gesto della moglie. E' rimasto impietrito, poi è scoppiato in pianto. Si è svegliato anche il piccolo Massimo; ma nessuno ha avuto il coraggio di dire che la madre è morta.

XXXI

Nel gergo dei giornalisti le notizie che gli altri hanno e tu no si chiamano buchi. Il mio giornale mi aveva dato un buco per tutta la vita.

Madrina ha subito detto che l'articolo conteneva un'imprecisione. La mamma non si era buttata dalla finestra del salotto ma da quella, più appartata, dello studio di mio padre. Voleva essere sicura che nessuno venisse a disturbare il suo appuntamento segreto con la morte.

Era sotto quella finestra che papà aveva trasferito la mia scrivania negli anni in cui avevo dovuto cedere la mia stanza a Mita e condividere con lui non solo la camera da letto ma anche lo studio. Chissà quante volte si sarà affacciato al davanzale da cui la mamma aveva spiccato il volo. E quante volte lo avrò fatto io, senza sapere dov'ero e quindi chi ero.

Avevo bisogno di sentirmi vivo, così sono uscito sul balcone della cucina per prendere un po' di freddo.

L'articolo non era firmato ed era passato troppo tempo perché si potesse risalire all'autore. Forse un cronista alle prime armi, costretto a lavorare anche l'ultimo dell'anno.

L'ho immaginato mentre raggiungeva il condominio della disgrazia sotto la neve, conversava con i poliziotti, scampanellava ai vicini cercando di instaurare un canale di comunicazione con Tiglio e ricomponeva sul taccuino i tasselli di una storia che io avrei letto con quarant'anni di ritardo.

Forse era una donna. O un maschio femmina. C'era delicatezza nelle sue parole, per quanto avesse riportato particolari che in seguito sarebbe diventato impossibile pubblicare: l'indirizzo della suicida, la sua malattia, il nome di un minorenne. Io.

Con un semplice colpo di citofono chiunque sarebbe potuto venire a curiosare nel mio dolore. Ma il giornale era uscito in edicola l'ultimo pomeriggio dell'anno. La città era mezza vuota e nevicava forte. Lo avevano letto in pochi.

Rientrato in cucina ho steso il ritaglio sul tavolo e mi sono seduto di fronte a Madrina.

Elisa mi ha sfiorato le mani per farmi coraggio. Stavo per iniziare l'intervista più difficile della mia carriera.

«Madrina, perché non me l'hai detto prima?»

«Pensavo che lo sapessi e non ne volessi parlare. Ma quando ho letto il romanzo ho capito che nessuno ti aveva mai detto niente. E non me la sono sentita di rimanere zitta.»

Dopo quarant'anni sembrava una battuta.

«Come è successo?»

«Non è caduta. È voluta cadere.»

«Nessun infarto.»

« Tua mamma aveva un gran cuore, in tutti i sensi. »

« E allora perché? »

« All'inizio dell'estate le avevano fatto delle radiografie ed era saltata fuori un'ombra... »

La voce di Madrina si è prosciugata. Ha dovuto bere dell'acqua per innaffiarla un po'.

« Il medico aveva insistito perché si lasciasse operare. E finalmente a metà settembre eravamo riusciti a ricoverarla. »

« 'Vado a fare delle commissioni', mi aveva spiegato. »

« Dopo l'intervento era contenta. Solo un po' arrabbiata con tuo padre che si era allontanato da Torino per un problema di lavoro. »

« Tipico suo. »

« Era una bugia. Il chirurgo gli aveva detto che il tumore asportato era maligno e lui era volato in Puglia da un guaritore di cui parlavano i giornali. »

« La mamma rischiava di morire? »

« Il nemico era stato sconfitto. E per i medici esistevano ottime probabilità che non si ripresentasse. »

« Allora perché papà era partito a caccia di santoni? »

« In quegli anni il cancro era una sentenza di condanna. Tuo padre aveva perso la testa. »

« Mio padre che perde la testa? »

« Succede quando si ama » ha risposto Elisa.

« Madrina, non capisco: se il tumore non c'era più, come mai la mamma...? »

«I guai sono arrivati appena i dottori le hanno detto che avrebbe dovuto sottoporsi a un ciclo di terapie. Era la prassi, ma lei ha cominciato a tempestarli di domande. Era convinta che le mentissero.»

«Non credeva neanche a te e a papà?»

«Secondo lei facevamo parte del complotto.»

«Il suo corpo non sopportava le cure?»

«Al contrario, le reggeva benissimo. Era la testa che non funzionava più. Tutte le domeniche io e zio Nevio passavamo a trovarvi. Mi chiudevo in cucina con lei e venivo sottoposta a un interrogatorio. Le terapie stavano a significare che aveva ancora il cancro? Perché nessuno le diceva che era destinata a morire tra sofferenze atroci? Se ero davvero la sua migliore amica – e sottolineava il se – avevo il dovere di raccontarle la verità.»

«E tu?»

«La rassicuravo, la accarezzavo, la sgridavo. La imploravo di combattere i suoi fantasmi. Le dicevo: ma non pensi a tuo figlio?»

«E lei?»

«Tanto lui ha voi...»

E così ero arrivato alla domanda che le comprendeva tutte.

«Madrina... la mamma mi voleva bene?»

«Per nove anni sei stato il suo primo pensiero al risveglio e l'ultimo prima di addormentarsi. Poi la paura le ha mangiato il cuore.»

«Aveva dolore?»

«No, ma si era convinta che presto lo avrebbe avuto.»

«Ti ha mai parlato di suicidio?»

«I suicidi non ne parlano. Se le dicevo di non buttarsi giù, in senso figurato ovviamente, si limitava a fissarmi in silenzio.»

«Avresti dovuto portarla via!»

«E dove? A Natale l'ho invitata nella mia casetta di Sanremo. Mi ha risposto con un sorriso amaro che non se la sentiva di rallegrarmi le vacanze. Qualche giorno dopo ho ricevuto la telefonata di tuo padre... Quante volte l'ho immaginata in piedi su quel davanzale! Ci vuole coraggio per buttarsi dal quinto piano, sai? Tanto coraggio e tanta disperazione... Si sarà lasciata convincere dalla neve.»

«La neve?»

«Sono sicura che l'atmosfera da fiaba le abbia dato la spinta. Avrà pensato che l'impatto sarebbe stato meno doloroso, con tutto quel bianco intorno...»

«E la vestaglia sul mio letto? È stato papà a metterla lì?»

«Non credo proprio. A me disse di essersi svegliato di soprassalto e di avere trovato la mamma nella tua camera. Lei lo aveva pregato di tornare a dormire, perché voleva rimanere ancora un po' da sola con te. Tuo padre non poteva saperlo, ma era venuta a dirti addio...»

Madrina si è passata una mano sugli occhi.

«Ti serve un fazzoletto?»

«No, grazie. Lo sai che non piango mai. È che dopo quarant'anni sono ancora arrabbiata con lei. Non aveva il diritto di lasciarti solo. Glielo ricordo sempre, quando le parlo. E io le parlo tutti i giorni.»

XXXII

Ormai era tardi per il cimitero. Abbiamo salutato Madrina e siamo usciti sotto un cielo caffelatte che prometteva neve.

Mentre Elisa guidava in silenzio, manipolando la radio alla ricerca di una stazione che trasmettesse musica rock, io tormentavo la cintura di sicurezza e me stesso.

Mia madre non aveva creduto alla verità e si era uccisa. Io mi ero affidato a una bugia ed ero rimasto vivo, ma a quale prezzo?

Ho chiesto a Elisa di lasciarmi sotto casa dei miei, ormai venduta da tempo.

Mi sono arrampicato con gli occhi fino alla finestra dello studio di papà e ho evocato una sagoma di donna sul davanzale, però non ho avuto la forza di guardarla. Nonostante l'impaccio dei guanti, ho estratto il ritaglio di giornale per rileggere le ultime righe.

Si è svegliato anche il piccolo Massimo; ma nessuno ha avuto il coraggio di dire che la madre è morta.

C'era un lieve errore di stampa. *Dire* anziché *dirgli*. E ce n'era un altro, molto più grave: nessuno aveva avuto il coraggio di dirmi *come* era morta.

Il segreto aveva resistito quarant'anni. Chi sapeva

non mi aveva detto nulla. E in seguito aveva continuato a non dirmelo, magari pensando che nel frattempo lo avessi saputo da qualcun altro.

Papà e Madrina, Tiglio e Palmira, Giorgio e Ginetta, Baloo e Mio Zio, Madamìn, la Maestra e chissà quanti altri ancora. Avrei dovuto complimentarmi con tutti per il complotto perfettamente riuscito.

Anche loro, come Belfagor, avevano agito per il mio bene. Cosa avrei pensato a nove anni, se mi avessero detto che la mamma si era buttata da una finestra del quinto piano?

Che non mi voleva più.

Che dovevo valere assai poco.

Il problema è che lo avevo pensato lo stesso, tutta la vita.

E allora quale sarebbe stato il momento propizio per incontrare la verità?

Ho girato le spalle alla casa dei miei e mi sono incamminato verso la mia, cercandomi dentro un dolore che non c'era più o forse non c'era ancora.

Si è svegliato anche il piccolo Massimo.

Lì il giornalista si era proprio sbagliato. Non mi ero svegliato affatto.

Avevo avuto quarant'anni per smascherare le incongruenze di una storia assurda. Una malata terminale di tumore che muore d'infarto dopo aver fumato una sigaretta. Eppure avevo fatto finta di crederci, nonostante il mio intuito conoscesse la verità al punto di estrarmela dalle viscere durante la stesura del romanzetto.

Per un istante lunghissimo ho ripercorso la mia vita, alla ricerca dei segnali che mi ero rifiutato di cogliere.

I due sconosciuti che sorreggevano mio padre per le ascelle accanto all'albero di Natale non erano medici del pronto soccorso, ma poliziotti in borghese venuti a dargli la notizia.

L'urlo di nonna Giulia – «Cosa hanno fatto a mia figlia?» – non poteva riferirsi a un semplice infarto.

E poi: le continue allusioni alla «disgrazia», certi silenzi umidi di Mio Zio, l'odio per la casa «maledetta» che Ginetta aveva manifestato davanti alla bara di papà.

Papà. Non si era tradito neppure sul letto di morte. Ma io avrei dovuto costringerlo a parlarne molto prima, anziché evitare l'argomento con lui e soprattutto con me.

Avevo trascorso serate intere dentro gli archivi del giornale per esplorare fatti e personaggi pubblici. Possibile che non mi fosse mai venuto il desiderio di estendere le ricerche alla vicenda privata che aveva segnato la mia esistenza? Di sfogliare la memoria cartacea di quei giorni, anche soltanto per la curiosità di sbirciare il necrologio della mamma?

Mi sono fermato in mezzo alla strada a guardare un bambino che correva e la risposta è sgorgata nitida.

Sapevo da sempre com'era morta, ma avevo deciso da subito di non volerlo sapere. Sarebbe stato troppo. E forse lo era anche adesso. Nel corso degli anni il rifiuto della verità si era esteso a tutto il resto. Aveva aderito ai pensieri come una seconda pelle, diventando il mio modo di abitare la vita senza viverla.

Succede a noi che ospitiamo Belfagor nello stomaco. Pur di non fare i conti con la realtà preferiamo convivere con la finzione, spacciando per autentiche le ricostruzioni ritoccate o distorte su cui basiamo la nostra visione del mondo.

Molte frasi attribuite ai personaggi storici sono state inventate dai loro biografi. Eppure le citiamo con convinzione. Per rassicurarci nei nostri pregiudizi, leggiamo e ascoltiamo solo chi già la pensa come noi. E ci lasciamo cullare la mente da storie fasulle e versioni tranquillizzanti, interpretando la realtà in forma mitica e i miti in forma letterale.

L'intuizione ci rivela di continuo chi siamo. Ma restiamo insensibili alla voce degli dei, coprendola con il ticchettio dei pensieri e il frastuono delle emozioni. Preferiamo ignorarla, la verità. Per non soffrire. Per non guarire. Perché altrimenti diventeremmo quello che abbiamo paura di essere. Completamente vivi.

XXXIII

Era sceso il buio. Le strade si andavano svuotando e la fine dell'anno veniva salutata in anticipo dalle prime raffiche di petardi.

Avevo camminato per ore senza mangiare, senza parlare, senza sentire altro che il peso dei miei piedi finalmente appoggiati alla terra.

Mentre affrontavo l'ultima salita verso casa, mi sono ricordato del consiglio di Mio Zio e ho sollevato il mento come se dovessi tendere un filo da lì all'ombelico.

Intanto pensavo a mio padre. Si era assunto la missione di proteggermi dalla verità. L'uomo delle barzellette aveva inventato la storia più triste del mondo e me l'aveva raccontata tutta la vita.

Per la prima volta mi sono tuffato dentro papà. Ho sentito il suo amore per la mamma ed è stata una scossa che mi ha fatto tremare. L'ho visto in coda sotto il sole davanti alla porta di quel santone che sicuramente disprezzava. Ho seguito il peregrinare della sua angoscia da un medico all'altro. Ho sperato e mi sono disperato con lui. Fino all'ultima alba. Quando si era lasciato convincere a tornare sotto le coperte e aveva ceduto a un sonno che non si sarebbe mai più perdonato.

Si era ritrovato peggio che solo: con un bambino accanto e un deserto dentro. Al suo posto sarei schiantato. Invece lui mi aveva issato sulle spalle e aveva ripreso il cammino. Inciampando in troppe buche e sbagliando itinerari, scarpe, compagni di viaggio. Ma in qualche modo era riuscito a mettermi in salvo.

Mi aveva voluto bene. Più della mamma. Perché papà era rimasto. E c'è sempre più amore in chi rimane che in chi se ne va.

Il suo capolavoro era stata la costruzione del mito della madre scomparsa. Me lo aveva inculcato affinché non la detestassi, a costo che quella donna immaginaria si prendesse tutto l'affetto che avrebbe meritato lui.

Il pensiero della mamma mi procurava dei fremiti di rabbia mescolati a una tenerezza che sconfinava nella pena.

Lei era stata debole. E non può esserci gloria per chi scappa dalle responsabilità.

Continuava a scorrermi dentro il titolo del giornale.

MADRE SI GETTA
DAL QUINTO PIANO

Il titolo cerca sempre di spremere il succo di una notizia. Qui segnalava che la suicida non era una donna qualsiasi, ma una madre.

Ecco cos'aveva turbato il giornalista che lo aveva composto in tipografia, fra piramidi di panettoni riciclati e auguri frettolosi di felice anno nuovo. Che una madre fosse stata tanto egoista da condannare la sua creatura a vivere senza di lei.

Nell'ospedale di Sarajevo avevo visto donne ferite lottare con fierezza contro la morte e tendere le mani verso un figlio che non c'era più, animate dalla speranza assurda di poterlo riabbracciare ancora.

Io invece ero nella stanza accanto. Vivo. Ma la mamma se n'era infischiata di me. Aveva pensato soltanto a se stessa.

Sono entrato in casa e Billie mi girava alla larga. Quando ho tentato di accarezzarla, è andata a rifugiarsi nello sgabuzzino, la coda ammainata fra le zampe.

Mi sono tolto le scarpe e sono rimasto a piedi scalzi sul tappeto del salotto. Ho intercettato sopra la mensola la fotografia della mamma che da ragazzo nascondevo nel cassetto e che mi aveva accompagnato in tanti traslochi. Quel sorriso da santa su cui avevo costruito la sua leggenda.

Mi sono voltato dall'altra parte. E dall'altra parte c'era Elisa. A piedi scalzi anche lei. Mi era arrivata alle spalle senza che me ne accorgessi.

«Come ti senti?» mi ha chiesto. E quel punto interrogativo, insolito sulle sue labbra, diceva più di tante cose.

«Non era la mamma che credevo.»

«Io l'ho sempre immaginata così. Uno scrigno pieno di entusiasmi e paure.»

« Ti rendi conto? Uccidersi nonostante un bambino. »

« Oh, succede. Sei un giornalista. Non li leggi i giornali? »

« Non quelle notizie lì. Mi hanno sempre respinto. Adesso ne capisco il motivo. »

« Se il bambino è molto piccolo, di solito la mamma lo trascina con sé. »

« Le importava talmente poco di me che non mi avrà voluto fra i piedi. »

« Sapeva che ce l'avresti fatta da solo. »

« Non diciamo bestemmie! Mi ha rifiutato. »

« Non ha rifiutato te, ma la vita. »

« Ero io la sua vita! »

Elisa mi ha sfiorato le mani in quel modo che riesce soltanto a lei.

« La vita, lo hai detto. Ma tua madre si era separata dalla realtà. Viveva fra i suoi fantasmi. »

« Non si poteva salvare? »

« Forse. Andava sganciata da quel mondo e riagganciata a questo. »

« Con l'aiuto di cosa, di chi? »

« Non serve a niente chiederselo, ora. Ciò che sto cercando di dirti è che la paura uccide sempre l'amore. Persino l'amore di una madre. »

Siamo rimasti zitti per un po' a guardarci le punte dei piedi. Poi lei ha indicato qualcosa.

« I tuoi talloni! »

« Allora? »

« Sono incollati al tappeto. »

Li ho staccati immediatamente.

« Di solito dove li tengo, scusa? »

« Lo sai benissimo: per aria. »

« Vorresti dire che non sono più un elfo? »

« Magari stai diventando un elfo evoluto. »

« Evoluto? Regredito, piuttosto. Finché vivevo nella menzogna credevo di essere riuscito a perdonarla. Ora che conosco la verità, mi accorgo invece di non averla perdonata per niente. »

La voce di Elisa si è increspata, come se avesse alzato una diga per impedire alla commozione di espandersi.

« Smettila di fare la vittima e di recitare la parte del figlio offeso! »

« Non è una parte! Certi ricordi non si cancellano. »

« Ma puoi purificarli dal dolore che contengono! »

« E come? »

« Proprio con il perdono! »

« Ne sei sicura? »

« Solo il perdono ti rimette in contatto con l'energia dell'amore. L'ho sperimentato tante volte. E l'ho letto in tanti libri. Anche nel tuo. »

« Ma come si fa a perdonare una disertrice? »

« Evidentemente tu non hai mai sofferto abbastanza da desiderare di morire. Ci vuole una forza d'animo straordinaria per alzarsi dal letto ogni mattina con l'idea che la vita sia una prova e vada affrontata sempre, anche quando si è sicuri di avere subito un'ingiustizia terribile e si ha paura di non farcela. »

« Adesso sta a vedere che la vita è una scelta eroica! »

« Certo che lo è! Una scelta eroica che si rinnova a ogni istante. Tua madre ha deciso di arrendersi. E in un certo senso anche tu. Con il tuo rifiuto di vedere la realtà delle cose. »

« Cosa intendi dire? »

« Fin da piccolo hai convissuto con lo stesso mostro che l'ha uccisa. Ma ora devi sconfiggerlo, altrimenti il suo sacrificio non sarà servito a niente. »

Nella stanza è calato un silenzio profondo che assorbiva gli scoppi sempre più ravvicinati dei petardi. Poi, da qualche cavità misteriosa, ho sentito riemergere il suono della mia voce.

« Cos'avrà pensato mentre spegneva la sigaretta, si toglieva le pantofole e si inerpicava sul davanzale? Mentre si teneva in equilibrio e respirava la neve prima di spiccare il salto? Almeno mentre precipitava al suolo, avrà pensato a me? »

« È così importante? »

Mi sono girato verso la foto della mamma e l'ho guardata come se fosse la prima volta.

« No. Non più. »

« Liberati dal piombo che hai sul cuore, Massimo. È una vita che ti tormenti e tormenti tua madre con questo strazio. Una vita che la sento pesare sopra di noi. Basta! Mandale tutto il tuo amore e lasciala finalmente andare... »

Fuori iniziava a cadere la neve. Le mani di Elisa hanno percorso traiettorie insondabili intorno alla mia testa e la sua voce ha pronunciato parole che non sono riuscito a comprendere. Ma qualcuno dentro di me le aveva capite molto bene.

Belfagor.

L'ho sentito rattrappirsi come una spugna consunta e poi disintegrarsi in una pioggia di frammenti subito inghiottiti dal buio.

Ho chiuso gli occhi e ho visto la mamma entrare nella stanza di un bimbo addormentato.

Si è seduta sul bordo del letto e mi ha guardato a lungo in silenzio. Ha disteso la mano in una carezza, ma l'ha richiamata subito indietro per non svegliarmi.

Mi ha rimboccato le coperte, si è chinata su di me e ha sussurrato qualcosa.

Fai bei sogni, piccolino.

In quel momento ho sentito il profumo dei suoi capelli e tutta l'energia uscirle dal corpo e penetrarmi nel cuore.

La mamma si è alzata, si è tolta la vestaglia, l'ha ripiegata con cura e l'ha appoggiata ai piedi del letto. Poi si è diretta verso la luce.

Le ho augurato buon viaggio, ho riaperto gli occhi e ho abbracciato Elisa.

Non so quanto tempo siamo rimasti così. Ma a un certo punto la vita ha incominciato a risorgere dalle caviglie come una corrente d'aria fresca.

Ho abbassato lo sguardo e sotto di noi c'era Billie che scodinzolava.

Leggera.

A Giuseppina Pastore,
mia mamma

RINGRAZIAMENTI

I nomi sono quasi tutti veri, li ho cambiati solo alle ragazze. Tranne Elisa, che è Elisa.

Il mio primo grazie, come sempre, va a lei. Ma stavolta la lista è lunga e comincia da Giuseppe: è nel suo ufficio che l'idea del racconto ha preso forma.

Ero andato in Longanesi per discutere di quello che avrebbe dovuto essere il mio prossimo libro: un saggio su come uscire dall'abulia e dalla rassegnazione, figlie della paura, con cui le persone sembrano affrontare questo momento storico. Titolo: *Nessun dorma*.

Per rendere credibile il pulpito da cui sarebbe venuta la predica, avevo pensato di far precedere il saggio da una pagina autobiografica nella quale avrei raccontato la rimozione della morte di mia madre.

Mentre narravo gli avvenimenti la stanza di Giuseppe ha cominciato a riempirsi di editor: Alessia, Fabrizio, Guglielmo e alla fine tutti avevano gli occhi lucidi. Guardando la loro reazione ho capito che quella non era la prefazione di un saggio, ma la storia che mi era cresciuta dentro per quarant'anni.

Era arrivato il momento di affrontarla e tirarla

fuori. Per farla diventare un libro, un romanzo intessuto di fatti realmente accaduti.

Ho scritto la scaletta durante la notte e anche la stesura del testo è stata insolitamente rapida. Tre settimane a tempo pieno per estrarmelo dalle viscere (io la chiamo «sbobinatura») e sei mesi per rileggerlo: cento, duecento, forse trecento volte, ogni volta togliendo o aggiungendo qualcosa.

In quest'opera di sartoria psicanalitica mi sono stati di grande aiuto le compresse masticabili di vitamina C (mentre scrivevo di mia mamma avevo continuamente mal di gola), i concerti per piano di Mozart nell'esecuzione di Daniel Barenboim e la brillante compagine con cui ho il piacere di lavorare da anni: Stefano, Cristina, Luigi, Valentina, Alessia, Elena e naturalmente Giuseppe e Guglielmo, cortese ma implacabile. Conservo gli sms che mi hanno spedito dopo aver letto la prima stesura di *Fai bei sogni*: gli porteranno fortuna.

Alle persone citate in questa storia che mi hanno fatto o a cui ho fatto del male, dovunque esse siano, vanno il mio perdono e le mie scuse.

Un ringraziamento particolare a Madrina, la *dea ex machina* del racconto. Se è così come lo avete letto, il merito (o il demerito) deve essere equamente distribuito fra lei e me, e fra la squadra Longanesi e quella parallela di amici che ne hanno accompagnato la crescita con i loro suggerimenti.

1. Piula, Arianna e Arnaldo, che mi hanno convinto a riscrivere un paio di capitoli.
2. Fede, che mi ha consigliato di togliere qualche orpello.
3. Marco, che ha tifato perché allungassi le scene sul Toro e su papà.
4. Annalaura, che sta nella scatola dei biscotti.
5. Gabriele, che si è commosso.
6. Irene, che si è stupita.
7. Francesca, che avrebbe voluto più titoli di canzoni.
8. Duilio, che come titolo avrebbe voluto «La foto nel cassetto».
9. Mirella, che quando mi chiama è davvero convinta di parlare con uno scrittore.
10. Alexandra, che lo ha letto fra le nuvole.
11. Fabio, che lo ha letto mentre fuori scendeva la neve.
12. Annalena e Mattia, che lo hanno letto e insieme sono arrivati al cuore.

Dodici, il mio nuovo numero preferito.

Torino, gennaio 2012

INDICE

Fotocomposizione Editype s.r.l.
Agrate Brianza (MB)

Finito di stampare
nel mese di marzo 2012
per conto della Longanesi & C.
da Grafica Veneta S.p.A. di Trebaseleghe (PD)
Printed in Italy